初級1 A2

# かつどう

三修社

# はじめに

国際交流基金は、海外における日本理解を深めること、また、国際相互理解を促進することを目的として、様々な文化事業を行っています。日本語教育においても、国際交流の場が人々の相互理解につながるように事業を展開することが重要だと考えています。本書『まるごと　日本のことばと文化』も、そうした考え方にもとづいて、成人学習者向けに開発された外国語としての日本語コースブックです。

『まるごと　日本のことばと文化』は、ＪＦ日本語教育スタンダードに準拠し、日本語を使ってコミュニケーションをすることと、異文化を理解し、尊重することを重視してデザインしました。また、学習者が日本にいなくてもことばや文化を学ぶこと自体を楽しめるように、内容と方法を工夫しました。

『まるごと　日本のことばと文化』は、各トピックで、多様な文化背景を持つ人々が日本語で交流する場面を設定しています。それぞれの場面で話される自然な会話をたくさん聞くと同時に、写真やイラストを通して日本文化のさまざまな側面を感じていただけるようにしました。この本を通して、世界中の学習者の方たちに、日本語と日本文化、そして、その中で暮らしている人々を「まるごと」身近に感じていただければ幸いです。

2014 年 6 月

独立行政法人国際交流基金

# Introduction

The Japan Foundation engages in a variety of cultural initiatives with the objectives of deepening understanding of Japan overseas and promoting mutual understanding between Japan and other countries. We believe it is important that our work, including our work in Japanese education, proceeds in a way that encourages mutual understanding between people in situations where international cultural exchange takes place. This coursebook, *Marugoto: Japanese Language and Culture,* was developed for adult learners of Japanese as a foreign language, based on this way of thinking.

*Marugoto: Japanese Language and Culture* is based on the JF Standard for Japanese Language Education, and was designed with an emphasis on using Japanese to communicate, and on understanding and respecting other cultures. In addition, the coursebook's contents and approach were devised so that students can enjoy studying language and culture for its own sake, even if they are not in Japan.

Each topic in *Marugoto: Japanese Language and Culture* contains situations where people from a variety of cultural backgrounds interact in Japanese. You can experience various aspects of Japanese culture through photographs and illustrations while listening to a number of natural conversations taking place in each situation. We will be very happy if, through this book, people throughout the world feel completely familiar with the language and culture of Japan, and the people who actually live in this culture and speak this language.

June 2014

The Japan Foundation

# この本のとくちょう

『まるごと 日本のことばと文化』(『まるごと』) は JF 日本語教育スタンダードに準拠したコースブックです。『まるごと』には以下のような特徴があります。

## JF 日本語教育スタンダードの日本語レベル

『まるごと』は JF 日本語教育スタンダードの 6 段階(A1-C2) でレベルを表しています。『まるごと』(初級 1) は A2 レベルです。

**A2 レベル**

- ごく基本的な個人的情報や家族情報、買い物、近所、仕事など、直接的関係がある領域に関する、よく使われる文や表現が理解できる。
- 簡単で日常的な範囲なら、身近で日常の事柄についての情報交換に応ずることができる。
- 自分の背景や身の回りの状況や、直接的な必要性のある領域の事柄を簡単な言葉で説明できる。

JF日本語教育スタンダード 2010 利用者ガイドブック [ 第二版 ]

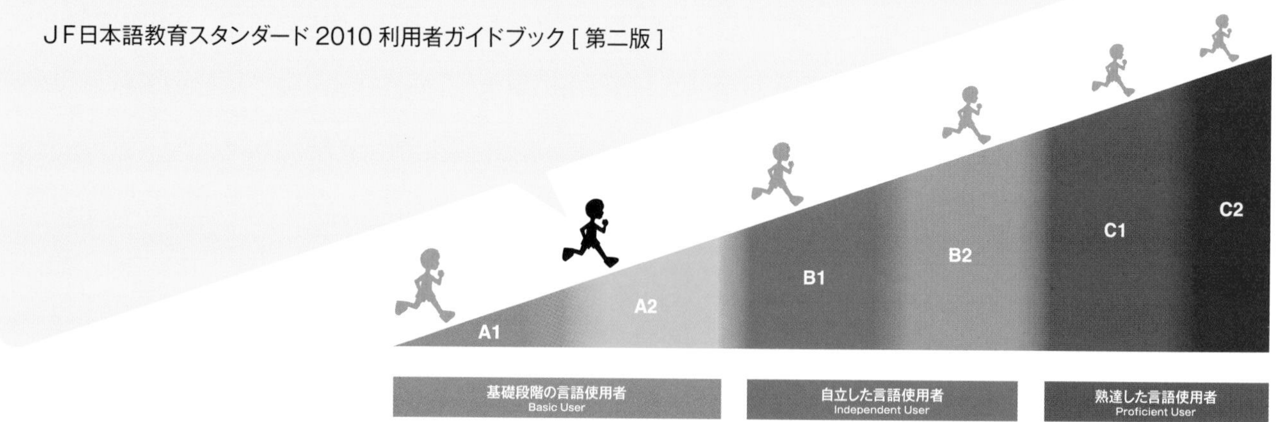


## 2つの『まるごと』:「かつどう」と「りかい」

『まるごと』は日本語を使ってコミュニケーションができるようになるために、「かつどう」と「りかい」の2つの学習方法を提案します。

**「かつどう」**: 日本語をすぐに使ってみたい人に
- 日常場面でのコミュニケーションの実践力をつけることが目標です。
- 日本語をたくさん聞き、話す練習をします。

**「りかい」**: 日本語について知りたい人に
- コミュニケーションのために必要な日本語のしくみについて学ぶことが目標です。
- コミュニケーションの中で日本語がどう使われるか、体系的に学びます。

「かつどう」と「りかい」はどちらも主教材です。どちらを選ぶかは、学習目的によって決めてください。また、「かつどう」と「りかい」は同じトピックで書かれています。両方で学べば、総合的に日本語力をつけることができます。

## 異文化理解

『まるごと』は、ことばと文化を合わせて学ぶことを提案しています。会話の場面や内容、写真、イラストなど様々なところに異文化理解のヒントがあります。日本の文化について知り、自分自身の文化をふりかえって、考えを深めてください。

## 学習の自己管理

ことばの学習を続けるためには、自分の学習を自分で評価し、自分で管理することがとても重要です。ポートフォリオを使って、日本語や日本文化の学習を記録してください。ポートフォリオを見れば、自分の学習プロセスや成果がよくわかります。

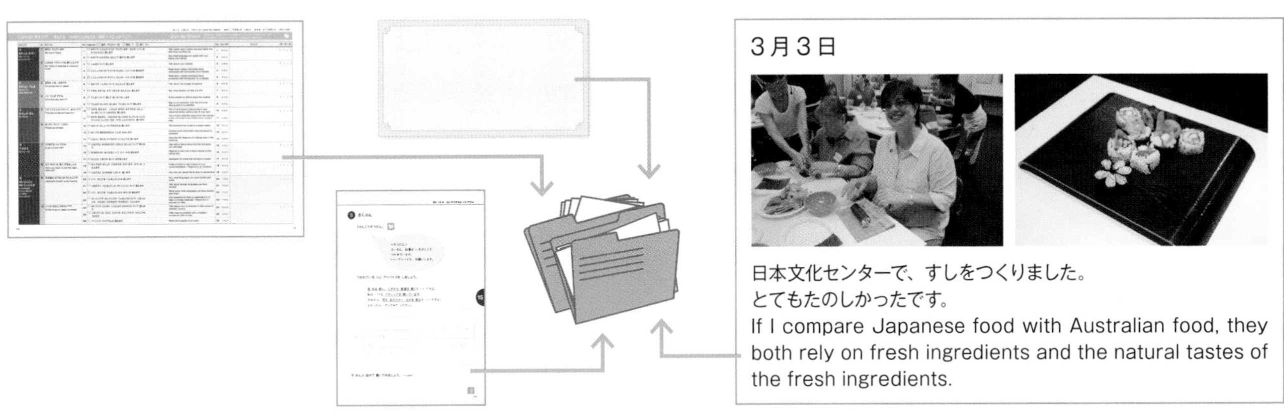
3月3日
日本文化センターで、すしをつくりました。
とてもたのしかったです。
If I compare Japanese food with Australian food, they both rely on fresh ingredients and the natural tastes of the fresh ingredients.

# この本のつかいかた

## 1 コースの流れ

『まるごと』（初級1 A2 かつどう）のコースは、コミュニケーションのための言語活動を中心に進めます。授業時間の目安は 1 課あたり 120-180 分で、コースの中間と終了時に「テストとふりかえり」をします。

### コースの例：1回の授業（120 分）で1課を学習する場合

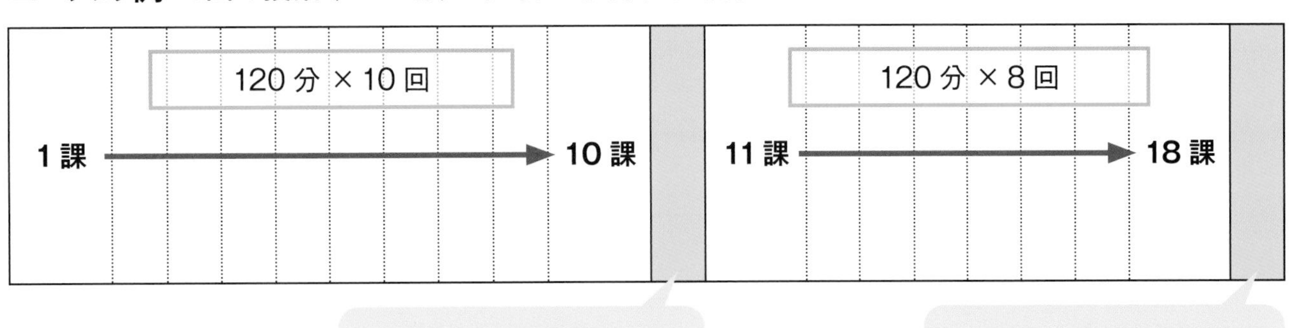
120 分 × 10 回
1 課
10 課
120 分 × 8 回
11 課
18 課
テストとふりかえり 1
テストとふりかえり 2

## 2 トピックと課の流れ

**目標を知る**

1つのトピックに2つの課があります。写真を見て、どんなことをするのか話します。その課で何ができるようになるかCan-do を確認します。

**聞く・気づく**

文脈／場面のある会話をたくさん聞きます。内容を理解すると同時に、会話の流れをつかみ、よく使われる表現に気づくことが大切です。音声ファイル：URL→ p9

**見る・聞く・言ってみる**

音声を聞いて写真やイラストを指さしながら意味を確認します。また、小さい声で言ってみます。自分にとって必要なことばを覚えましょう。音声ファイル：URL→ p9

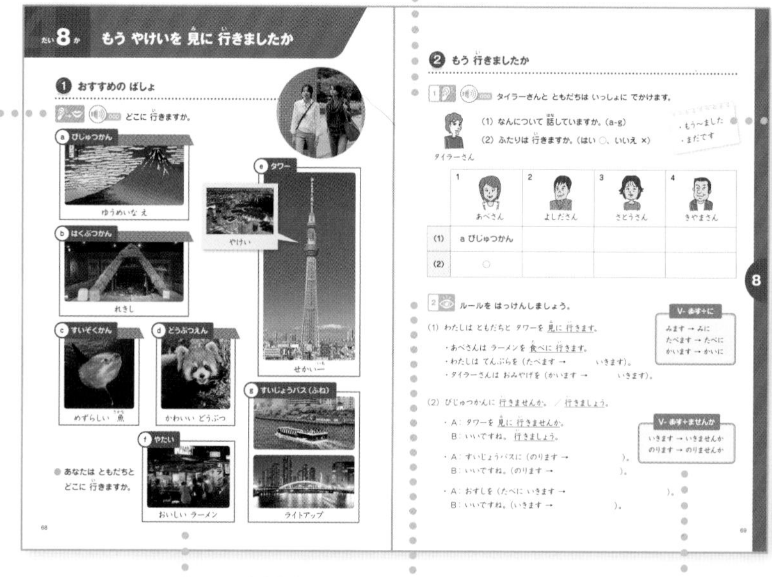


わかりやすく、楽しく学習するために写真やイラストがたくさん使われています。

ことばの形が書いてあります。練習のときに注意してください。

**ルールを発見する**

会話で聞いて気づいた文の形と意味を整理し、どんなルールがあるか発見します。

注意する語や表現

| あべさん | のださん | キムさん | シンさん | かわいさん | ホセさん | たなかさん |
|---|---|---|---|---|---|---|
| にほん | にほん | かんこく | インド | にほん | メキシコ | にほん |

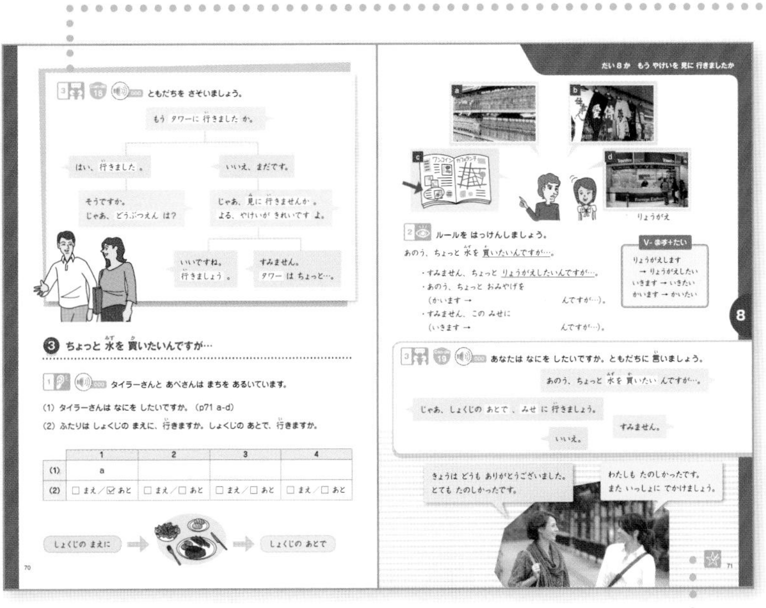

3 ともだちを さそいましょう。

もう タワーに 行きました か。

はい、行きました 。

いいえ、まだです。

そうですか。
じゃあ、どうぶつえん は？

じゃあ、見に 行きませんか 。
よる、やけいが きれいです よ。

いいですね。
行きましょう 。

すみません。
タワー は ちょっと…。

❸ ちょっと 水を 買いたいんですが…

1 タイラーさんと あべさんは まちを あるいています。

(1) タイラーさんは なにを したいですか。（p71 a-d）

(2) ふたりは しょくじの まえに、行きますか。しょくじの あとで、行きますか。

| | 1 | 2 | 3 | 4 |
|---|---|---|---|---|
| (1) | a | | | |
| (2) | □ まえ／☑ あと | □ まえ／□ あと | □ まえ／□ あと | □ まえ／□ あと |

しょくじの まえに → → しょくじの あとで

70

たい 8 か　もう やけいを 見に 行きましたか

a　b　c　d

りょうがえ

2 ルールを はっけんしましょう。

あのう、ちょっと 水を 買いたいんですが…。

・すみません、ちょっと りょうがえしたいんですが…。

・あのう、ちょっと おみやげを
（かいます → 　　　　んですが…）。

・すみません、この みせに
（いきます → 　　　　んですが…）。

V- ます+たい
りょうがえします
→ りょうがえしたい
いきます → いきたい
かいます → かいたい

8

3 あなたは なにを したいですか。ともだちに 言いましょう。

あのう、ちょっと 水を 買いたい んですが…。

じゃあ、しょくじの あとで 、みせ に 行きましょう。

すみません。

いいえ。

きょうは どうも ありがとうございました。
とても たのしかったです。

わたしも たのしかったです。
また いっしょに でかけましょう。

71

## 使ってみる

（ききましょう）の会話の中にある表現を使って、ペアで話します。だ円形のふきだしは表現のバリエーションです。うまく言えなかったら、もう一度会話を聞いてみましょう。「かのまとめ」(p151-p159) の音声も利用できます。

生活と文化

まちあわせ
Meeting

東京では よく えきや えきの ちかくで まちあわせを します。
In Japan, people often meet in front of or inside train stations.

1. 渋谷えき「ハチこうまえ」
The statue of "Hachikoo" the dog in front of Shibuya station

2. 東京えき「ぎんの すず」
The Silver Bell in Tokyo station

● あなたは ともだちに 会う とき、どうしますか。どのくらい まてますか。
What do you do when you meet your friends? How long can you wait ?

72

## Can-do チェック

授業のあとで、Can-do ができたか自分でチェックして、コメントを書きます。Can-do チェック p178-p181　URL→ p9

## 生活と文化

日本の生活と文化について、いろいろな写真を見ます。自分の国や自分自身と比較して、思ったことをクラスで話し合います。

## アイコン

 きいて いいましょう

 ききましょう

おんせい

 はっけんしましょう

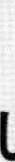 ペアで はなしましょう

 かきましょう

 よみましょう

 ポートフォリオに いれましょう

 Can-do を チェックしましょう

「さん」はほかの人の名前の後ろにつける敬称です。（あべさん）

さとうさん
にほん

よしださん
にほん

ジョイさん
オーストラリア

すずきさん
にほん

ヤンさん
マレーシア

カーラさん
フランス

タイラーさん
イギリス

## 3 異文化理解の活動

『まるごと』はことばと文化をいっしょに学ぶコースです。教室の外でも日本語を使ったり、日本文化を体験したりしましょう。

- ・日本のウェブサイトを見る
- ・日本のドラマや映画を見る
- ・日本料理のレストランに行ってみる
- ・日本関係のイベントに行ってみる
- ・日本人の友人や知り合いと話してみる

教室の外で体験したことをクラスの人と話してください。

## 4 学習の自己管理の方法

### 1) Can-do チェック

1つの課が終わったら、Can-do チェック（p178-p181）を見て、チェックします。
自分の学習をふりかえって、コメントを書きます。コメントは何語で書いてもいいです。

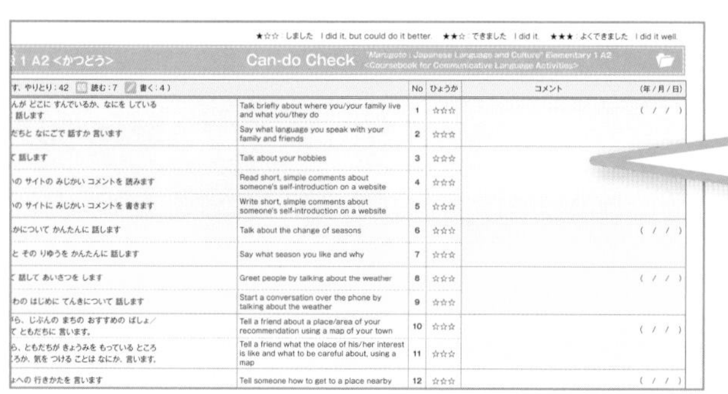

★☆☆：しました I did it, but could do it better. ★★☆：できました I did it. ★★★：よくできました I did it well.

1 A2 <かつどう> Can-do Check "Marugoto: Japanese Language and Culture" Elementary 1 A2 <Coursebook for Communicative Language Activities>

す、やりとり：42 読む：7 書く：4）

| | | No | ひょうか | コメント | （年／月／日） |
|---|---|---|---|---|---|
| んが どこに すんでいるか、なにを している 話します | Talk briefly about where you/your family live and what you/they do | 1 | ☆☆☆ | | （ / / ） |
| だちと なにごで 話すか 言います | Say what language you speak with your family and friends | 2 | ☆☆☆ | | |
| て 話します | Talk about your hobbies | 3 | ☆☆☆ | | |
| の サイトの みじかい コメントを 読みます | Read short, simple comments about someone's self-introduction on a website | 4 | ☆☆☆ | | |
| の サイトに みじかい コメントを 書きます | Write short, simple comments about someone's self-introduction on a website | 5 | ☆☆☆ | | |
| かについて かんたんに 話します | Talk about the change of seasons | 6 | ☆☆☆ | | （ / / ） |
| と その りゆうを かんたんに 話します | Say what season you like and why | 7 | ☆☆☆ | | |
| て 話して あいさつを します | Greet people by talking about the weather | 8 | ☆☆☆ | | （ / / ） |
| わの はじめに てんきについて 話します | Start a conversation over the phone by talking about the weather | 9 | ☆☆☆ | | |
| ら、じぶんの まちの おすすめの ばしょ／ て ともだちに 言います。 | Tell a friend about a place/area of your recommendation using a map of your town | 10 | ☆☆☆ | | （ / / ） |
| ら、ともだちが きょうみを もっている ところ ろか、気を つける ことは なにか、言います。 | Tell a friend what the olace of his/her interest is like and what to be careful about, using a map | 11 | ☆☆☆ | | |
| への 行きかたを 言います | Tell someone how to get to a place nearby | 12 | ☆☆☆ | | （ / / ） |

**コメントの例**

- ・日本人に会ったら道案内できると思う。
- ・自分の町のことを紹介できるようになった。
- ・クラスの人の外国語学習経験を聞いてびっくりした。

### 2) ポートフォリオ

日本語と異文化理解の学習や体験を記録し、ふりかえるために、ポートフォリオには以下のようなものを入れます。

① Can-do チェック
② テスト
③ 日本語を使って自分で書いたもの（例　サイトへのコメント、カードなど）
④ 日本語・日本文化の体験記録

## 5 テストについて

テストの方法と内容については、「テストとふりかえり」（p86-p87、p140-p141）を見てください。

## 6 関連情報

『まるごと』ポータルサイト **http://marugoto.org/**

以下の『まるごと』関連リソースをダウンロードしたり、学習支援サイトにアクセスしたりできます（無料）。

- 教科書といっしょに使う教材
  - ・音声ファイル
  - ・書くタスクのシート
  - ・ごいインデックス
  - ・ひょうげんインデックス
  - ・Can-do チェック

  - ・ごいちょう（『まるごと』入門 A1）

- 学習支援サイト
  - ・「まるごと＋（プラス）」
  - ・「まるごとのことば」

- 教師用リソース

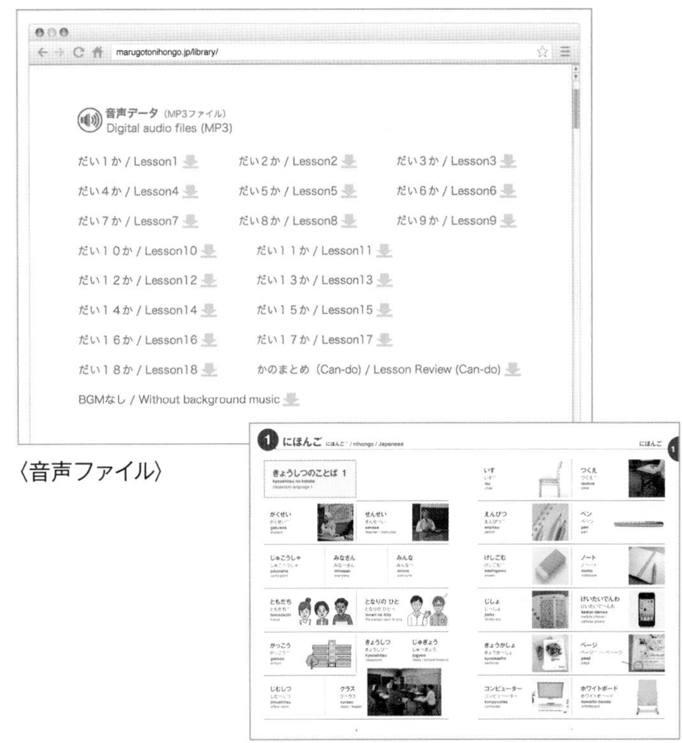


〈音声ファイル〉

〈ごいちょう〉

# ないようしいちらん 『まるごと　日本のことばと文化』初級(しょきゅう)1 A2 <かつどう>

| トピック | もくひょう Can-do | おもなひょうげん (* はっけん) |
|---|---|---|
| **1 わたしと かぞく p21** | **だい1か　東京に すんでいます** | |
| | 1 かぞくや じぶんが どこに すんでいるか、なにを しているか かんたんに 話します | ・わたしたちは 東京に すんでいます。*<br>・わたしは ホテルで はたらいています。* |
| | 2 かぞくや ともだちと なにごで 話すか 言います | ・おっとは 日本語が できます。<br>・わたしたちは 日本語で 話します。 |
| | **だい2か　しゅみは クラシックを 聞くことです** | |
| | 3 しゅみについて 話します | ・しゅみは クラシックを 聞くことです。*<br>・ひまな とき、なにを しますか。* |
| | 4 じこしょうかいの サイトの みじかい コメントを 読みます | ・かっこいいですね。／ともだちに なりましょう。 |
| | 5 じこしょうかいの サイトに みじかい コメントを 書きます | |
| **生活と文化** | つまと おっとの やくわり | |
| **2 きせつと てんき p33** | **だい3か　日本は いま、はるです** | |
| | 6 きせつの へんかについて かんたんに 話します | ・東京は いま、ふゆです。<br>・3月ごろ あたたかくなります。* |
| | 7 すきな きせつと その りゆうを かんたんに 話します | ・あきが すきです。すずしいのが すきですから。* |
| | **だい4か　いい てんきですね** | |
| | 8 てんきについて 話して あいさつを します | ・いい てんきですね。*／きのうは あつかったですね。* |
| | 9 でんわの かいわの はじめに てんきについて 話します | ・こっちは いま、あめが ふっています。*<br>・そっちは どうですか。 |
| **生活と文化** | 「すずしい」なつ | |
| **3 わたしの まち p47** | **だい5か　この こうえんは ひろくて、きれいです** | |
| | 10 ちずを 見ながら、じぶんの まちの おすすめの ばしょ／ちいきについて ともだちに 言います | ・この あたりには いろいろな みせが あります。<br>・この こうえんは ひろくて、きれいです。* |
| | 11 ちずを 見ながら、ともだちが きょうみを もっている ところが どんな ところか、きを つける ことは なにか、言います | ・この あたりは にぎやかだけど、ちょっと あぶないですよ。* |
| | **だい6か　まっすぐ 行って ください** | |
| | 12 ちかくの ばしょへの 行きかたを 言います | ・すみません。はくぶつかんは どこですか。<br>／はくぶつかんに 行きたいんですが…。<br>・ふたつめの かどを みぎに まがって ください。* |
| | 13 あいてが 聞きまちがえた ことを なおします | ・ひとつめじゃなくて、ふたつめですよ。* |
| | 14 とおくに 見える たてものの とくちょうを 言います | ・あそこに しろくて 大きい たてものが 見えますね。*<br>・たいしかんは まっすぐ 行って、すぐですよ。* |
| **生活と文化** | いろいろな まちなみ | |
| **4 でかける p61** | **だい7か　10時でも いいですか** | |
| | 15 ともだちと まちあわせの じかんと ばしょについて 話します | ・日よう日、まちあわせは どうしますか。<br>・10時に JF ホテルの ロビーは どうですか。<br>・11時でも いいですか。* |
| | 16 まちあわせに おくれると いう Eメールを 読みます | ・みちに まよいました。／じゅうたいです。 |
| | 17 おくれた りゆうを 言って あやまります | ・おそくなって すみません。ちょっと みちに まよって…。* |
| | **だい8か　もう やけいを 見に 行きましたか** | |
| | 18 おすすめの ばしょに ともだちを さそいます／さそいに こたえます | ・もう タワーに 行きましたか。<br>・いいえ、まだです。<br>・タワーを 見に 行きませんか。*<br>・いいですね。行きましょう。*／すみません。タワーは ちょっと…。 |
| | 19 ともだちに よりみちを したいと 言います | ・ちょっと 水を 買いたいんですが…。*<br>・しょくじの あとで、みせに 行きましょう。* |
| **生活と文化** | まちあわせ | |
| **5 がいこくごと がいこくぶんか p73** | **だい9か　日本語は はつおんが かんたんです** | |
| | 20 いつ、なにごを べんきょうしたか 話します | ・だいがくの とき、にほんごを べんきょうしました。 |
| | 21 いままでに べんきょうした がいこくごについて 話します | ・スペインごは ぶんぽうが むずかしくないです。*<br>・アラビアごは 話すのが おもしろいです。* |
| | 22 いつ、なにごを べんきょうしたか きろくを 書きます | |
| | 23 がいこくごや がいこくごの べんきょうについて こまった とき、だれかに たのみます／たのまれて こたえます | ・その じしょ (を)、かして くださいませんか。*<br>・かんじの 書きかたを おしえて くださいませんか。*<br>・いいですよ。どうぞ。／すみません。いま、ちょっと…。 |
| | **だい10か　いつか 日本に 行きたいです** | |
| | 24 がいこくの ぶんかと じぶんとの かかわりについて 話します | ・わたしは しゅうに 1かい 日本語を べんきょうしています。*<br>・いつか 日本に 行きたいです。* |
| | 25 こまっている ひとに たすけを もうしでます／もうしでを うけます | ・どうしたんですか。<br>・いっしょに えきに 行きましょうか。*<br>・すみません。／ありがとうございます。 |
| | 26 イベントの プログラムを 読みます | |
| **生活と文化** | がいこくぶんかを たのしむ | |
| **テストとふりかえり 1　p86-p87** | | |

話す、やりとり  読む  書く

| トピック | もくひょう Can-do | おもなひょうげん (* はっけん) |
|---|---|---|
| **6 そとで 食べる p89** | **だい11か　なにを もっていきますか** | |
| | 27 ピクニックに もっていく ものについて 話します | ・らいしゅうの ピクニック、食べものは どうしますか。<br>・わたしは おにぎり (を)、もっていきます。*<br>・あべさんは おにぎりですね。おねがいします。 |
| | 28 ピクニックに だれが なにを もっていくか メモを 書きます | |
| | 29 ピクニックの 食べものや 飲みものの きぼうを ぐたいてきに 聞きます／言います | ・飲みものは なにが いいですか。*<br>・ワインは あかと しろ、どっちが いいですか。*<br>・おちゃが いいです。／なんでも いいです。／どっちでも いいです。<br>・おちゃに します。* |
| | **だい12か　おいしそうですね** | |
| | 30 よく しらない 食べものについて 話します | ・それ、おいしそうですね。*<br>・かんこくの キンパと にています。／あじは ちょっと ちがいます。 |
| | 31 あじについて かんたんに コメントします | ・この サラダ、ちょっと からくて、おいしいですね。* |
| | 32 ともだちに 食べものを すすめます／すすめに こたえます | ・よかったら、サラダ、どうぞ。／もうすこし どうですか。<br>・じゃあ、1つ いただきます。／もう おなかが いっぱいです。 |
| **生活と文化** | おべんとう | |
| **7 しゅっちょう p103** | **だい13か　たなかさんに 会ったことが あります** | |
| | 33 でむかえの ために、しゅっちょうで 来る ひとや 来る 日について 話します | ・たなかさん (を)、しっていますか。<br>・たなかさんに 会ったこと (が)、あります。*<br>・たなかさんが 12日に 来ます。 |
| | 34 でむかえの あいさつを します | ・おつかれさまでした。ようこそ、たなかさん。<br>・フライトは いかがでしたか。 |
| | 35 ホテルの へやを チェックして、だいじょうぶか 言います | ・でんきは だいじょうぶです。 |
| | 36 しゅっちょうの スケジュールを 読みます | |
| | **だい14か　これ、つかっても いいですか** | |
| | 37 かいしゃの スタッフを しょうかいします | ・こちらは ひしょの キャシーさんです。<br>・キャシーさんは 日本語、ぺらぺらです。 |
| | 38 オフィスの ものを つかっても いいか 聞きます | ・コンピューター、かりても いいですか。*<br>はい、どうぞ。／すみません。いま、こわれています。 |
| | 39 みおくりの あいさつを します | ・おせわに なりました。<br>・ほんしゃの みなさんに よろしく おつたえください。 |
| | 40 かいがいしゅっちょうから かえる ときに もらった、オフィスの ひとからの メッセージを 読みます | |
| **生活と文化** | 日本の かいしゃ | |
| **8 けんこう p115** | **だい15か　たいそうすると いいですよ** | |
| | 41 ともだちに からだの ぐあいを 聞きます／こたえます | ・どうしたんですか。<br>・ちょっと くびが いたいんです。 |
| | 42 かんたんな たいそうの しかたを 聞きます／言います | ・こうやって かたを ゆっくり まわして ください。<br>・あまり むりを しないで くださいね。* |
| | 43 からだに いい ことを すすめます | ・ねる まえに、この くすりを のむと いいですよ。* |
| | **だい16か　はしったり、およいだり しています** | |
| | 44 けんこうの ために している ことを かんたんに 話します | ・けんこうの ために なにか していますか。<br>・ヨガを したり、トレーニングを したり しています。*<br>・どのぐらい していますか。<br>・トレーニングは しゅうに 2かいです。 |
| | 45 けんこうについての かんたんな アンケートを 読んで こたえます | |
| | 46 アンケートの けっかを かんたんな ことばで はっぴょうします | ・スポーツを よく する ひとは 3にんです。* |
| **生活と文化** | けんこうほう | |
| **9 おいわい p127** | **だい17か　たんじょう日に もらったんです** | |
| | 47 ともだちの もちものを ほめます | ・その ネックレス、すてきですね。 |
| | 48 じぶんの もちものについて、いつ、だれに もらったかなどを かんたんに 話します | ・これ、たんじょうびに かれに もらったんです。* |
| | 49 じぶんの くにの プレゼントの しゅうかんについて かんたんに 話します | ・日本では けっこんの おいわいに どんな ものを あげますか。<br>・(おいわいに) えとか とけいを あげます。*<br>・へやに かざる ものが おおいです。* |
| | **だい18か　パーティーが いいと おもいます** | |
| | 50 ともだちの おいわいを なんに するか 話します | ・あべさんの けっこんの おいわい、どうしますか。<br>・おいわいは パーティーが いいと おもいます。*<br>・あべさんは みんなと 話したいと 言っていました。* |
| | 51 けっこんの おいわいの カードを 読みます | ・ごけっこん、おめでとうございます。 |
| | 52 けっこんの おいわいの カードを 書きます | |
| | 53 プレゼントを もらって おれいを 言います | ・これ、シンさんと わたしからです。<br>・すてきな コーヒーカップですね。ありがとうございます。 |
| **生活と文化** | プレゼントの おくりかた | |
| **テストとふりかえり 2　p140-p141** | | |

# Features of This Book

*Marugoto: Japanese Language and Culture* is a coursebook that is based on the JF Standard for Japanese Language Education. It has the following features.

## ● Japanese Levels of JF Standard for Japanese Language Education

*Marugoto* employs levels that correspond to the six stages of the JF Standard for Japanese Language Education (A1-C2). *Marugoto* (Elementary1) is A2 level.

**A2 level**

- Can understand sentences and frequently used expression related to areas of most immediate relevance (e.g. very basic personal and family information, shopping, local geography, employment).
- Can communicate in simple and routine tasks requiring a simple and direct exchange of information on familiar and routine matters.
- Can describe in simple terms aspects of his/her background, immediate environment and matters in areas of immediate need.

Source: JF Standard for Japanese Language Education 2010 Users' Guide Book (2nd edition)

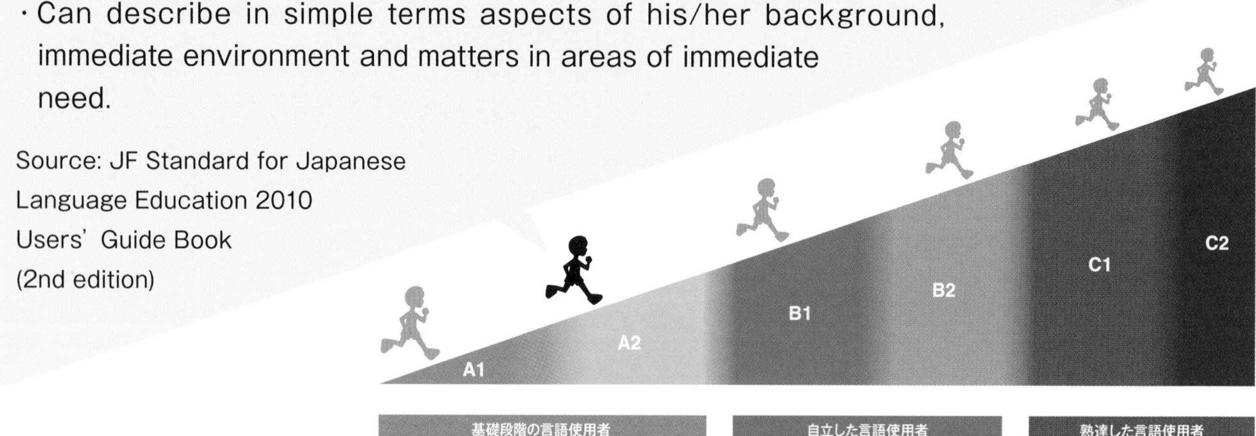


## ● Two *Marugoto* coursebooks: "*Katsudoo*" and "*Rikai*"

*Marugoto* offers two methods of study aimed at enabling you to communicate using Japanese: *Katsudoo* and *Rikai*.

***Katsudoo*** : a coursebook for communicative language activities

- For people who want to start using Japanese immediately
- The objective is to gain practical ability communicating in everyday situations.
- You will practise listening to and speaking Japanese a lot.

***Rikai*** : a coursebook for communicative language competences

- For people who want to learn about Japanese
- The objective is to study the features of the Japanese language that are necessary for communication.
- You will systematically study how Japanese is used in communication.

*Katsudoo* and *Rikai* should both be seen as main study materials. Decide which to choose based on your learning objectives. In addition, *Katsudoo* and *Rikai* use the same topics. If you use both, you can make progress in your overall Japanese proficiency.

## Intercultural Understanding

*Marugoto* offers learning in both language and culture. There is help with intercultural understanding in various places, such as the situations of the conversations, contents of the conversations, photographs and illustrations. Learn about Japanese culture, reflect on your own culture and deepen your intercultural understanding.

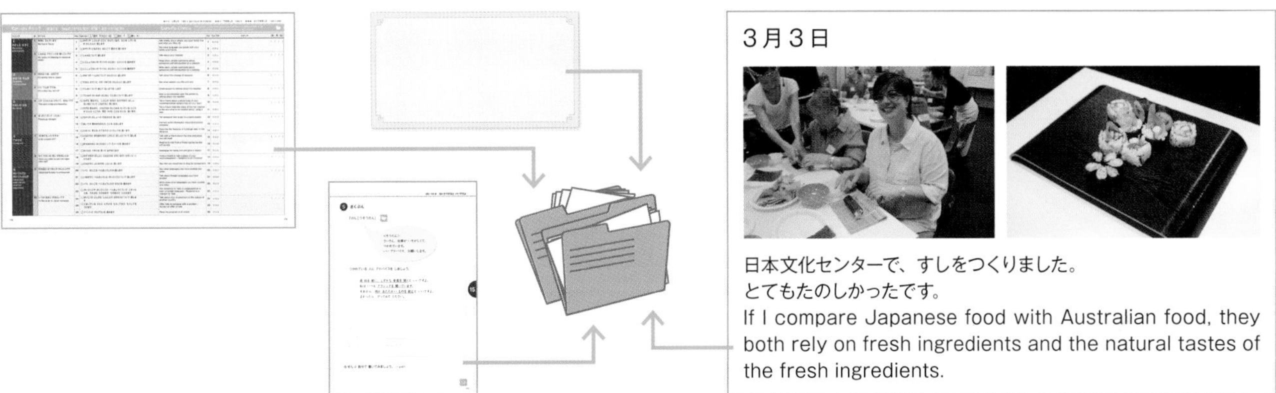

3月3日
日本文化センターで、すしをつくりました。
とてもたのしかったです。
If I compare Japanese food with Australian food, they both rely on fresh ingredients and the natural tastes of the fresh ingredients.


## Managing your own Study

It is very important to evaluate and manage your learning by yourself in order to keep going in language learning. Make a record of the Japanese language and culture you have studied using the portfolio. When you look at the portfolio, you can clearly understand your own learning processes and your accomplishments.

# How to Use This Book

## 1 Course Flow

The *Marugoto* (Elementary1 A2 *Katsudoo*) course is designed with communicative language activities at its heart. The suggested class length for one lesson is around 120-180 minutes. In the middle and at the end of the course, you will do ' Test and Reflection' 1 and 2.

### Course Example : with a class length of 120 minutes

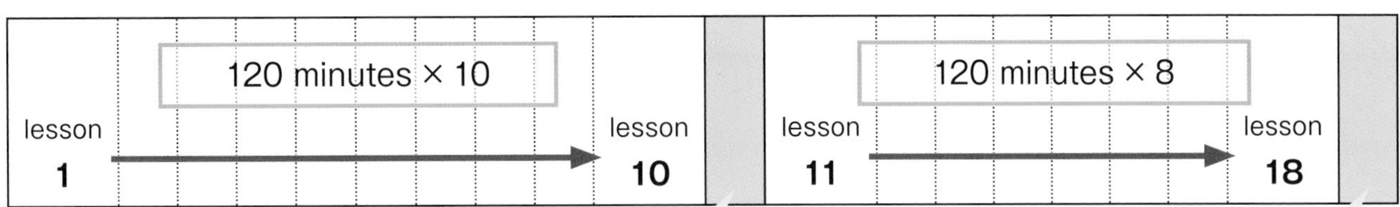

## 2 Topic and Lesson Flow

**Learn the Objectives**

Each topic has two lessons. Look at the photographs and talk about what kind of thing you think you are going to do. Check the Can-do statements to see what you will be able to do by the end of each lesson.

**Listen and Notice**

You will listen to a lot of contextualized conversations. As well as understanding the contents of the conversation, it is important to grasp the flow of the conversation and notice the expressions that are often used. Audio files : URL→ p17

**Look, Listen and Try Saying**

Listen to the recording and check your understanding while pointing at the photographs and illustrations. Try saying the words and sentence patterns quietly as you listen. Remember the words that you need.

Audio files : URL→ p17

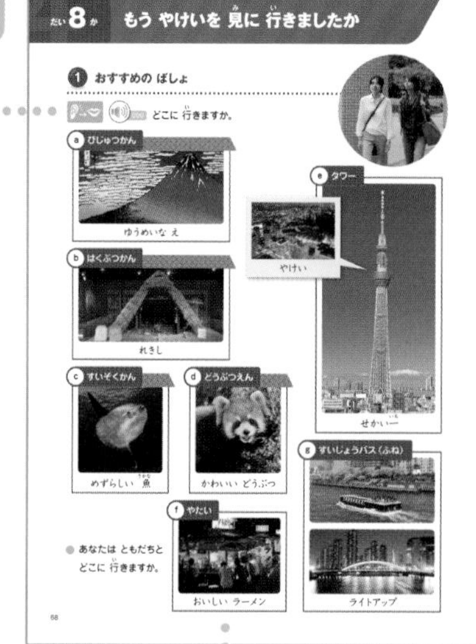

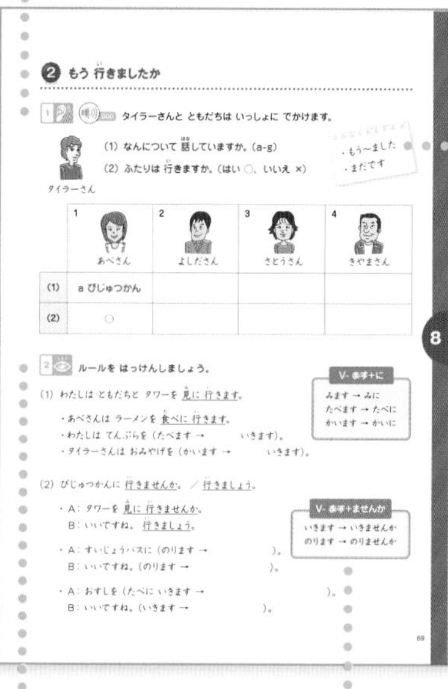

A lot of photographs and illustrations are used to make the lesson contents easy to understand and fun to study.

This part shows the correct form of words. Keep them in mind while practising.

**Discover the rule**

Think about the form and meaning of the sentences you noticed in the conversations, and then discover the rule of language usage.

Words and expressions you should pay attention to

**Abe-san**
Japan

**Noda-san**
Japan

**Kimu-san (Kim-san)**
Korea

**Shin-san (Singh-san)**
India

**Kawai-san**
Japan

**Hose-san (Jose-san)**
Mexico

**Tanaka-san**
Japan

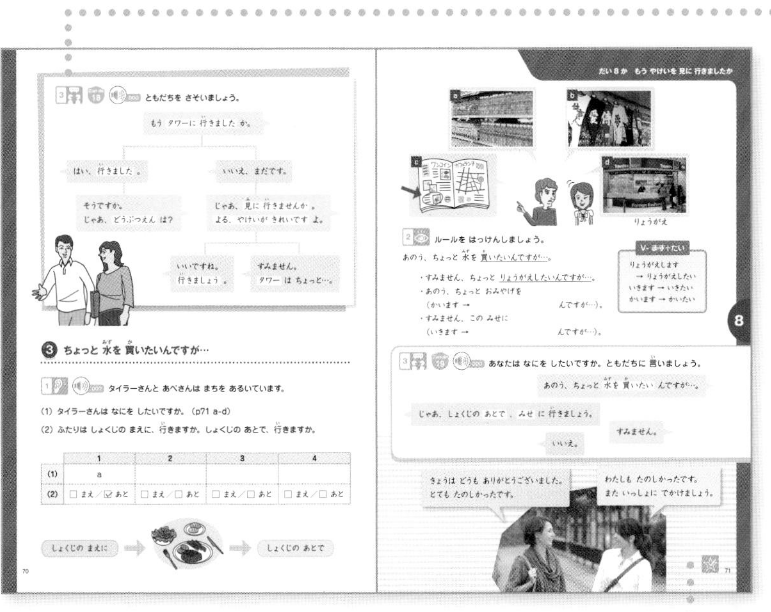


## Try Using

Speak in pairs using the expressions in the conversations you listened to. Oval bubbles show other expressions you can use.
If you cannot do it well, try listening to the conversation again. Audio files for Lesson Review (p151-159) are also available for practice.

## Can-do Check

After the lesson check by yourself whether you could do the Can-do statements and write a comment.
'Can-do Check' p178-p181 URL→ p17

## Life and Culture

You will look at a variety of photographs showing Japanese life and culture. You will compare it with both your own country and yourself, and discuss what you think with the class.

## Icons

 Listen and repeat

 Listen

Audio sound

 Discover

 Talk in pairs

 Write

 Read / Recognise

 Add to your portfolio

 Rate your performance using the 'Can-do Check'

*-san*: In Japanese, *san* is put after other people's names to show respect or politeness. (Abe-*san*)

**Satoo-san**
Japan

**Yoshida-san**
Japan

**Joi-san (Joy-san)**
Australia

**Suzuki-san**
Japan

**Yan-san (Yang-san)**
Malaysia

**Kaara-san (Carla-san)**
France

**Tairaa-san (Tyler-san)**
U. K.

## 3 Activities for Intercultural Understanding

*Marugoto* is a course where you study language and culture together. You should use Japanese and experience Japanese culture outside the classroom as well.

- Look at Japanese websites
- Watch Japanese dramas and films
- Try going to Japanese restaurants
- Try going to events related to Japan
- Try talking to Japanese friends and acquaintances

Talk about the things you have experienced outside the classroom with your classmates.

## 4 How to Manage your own Learning

### 1) Can-do Check

Do the 'Can-do Check' (p178-p181) when you finish a lesson. Look back on your study and write comments. You can write in your preferred language.

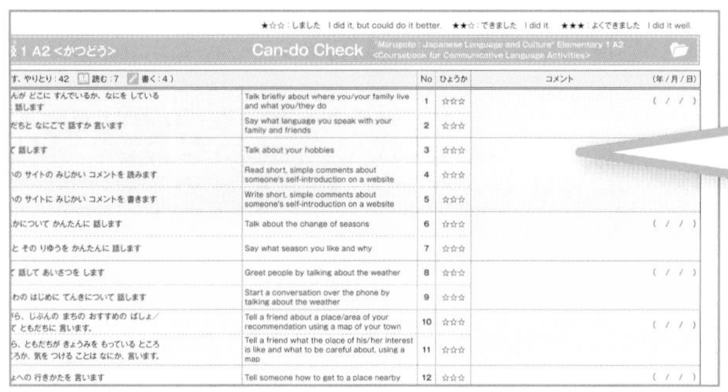

★☆☆：しました I did it, but could do it better. ★★☆：できました I did it. ★★★：よくできました I did it well.

級1 A2 <かつどう> Can-do Check 'Marugoto: Japanese Language and Culture' Elementary 1 A2 <Coursebook for Communicative Language Activities>

| す、やりとり：42 読む：7 書く：4） | | No | ひょうか | コメント | (年/月/日) |
|---|---|---|---|---|---|
| んが どこに すんでいるか、なにを している 話します | Talk briefly about where you/your family live and what you/they do | 1 | ☆☆☆ | | ( / / ) |
| だちと なにごで 話すか 言います | Say what language you speak with your family and friends | 2 | ☆☆☆ | | |
| て 話します | Talk about your hobbies | 3 | ☆☆☆ | | |
| の サイトの みじかい コメントを 読みます | Read short, simple comments about someone's self-introduction on a website | 4 | ☆☆☆ | | |
| の サイトに みじかい コメントを 書きます | Write short, simple comments about someone's self-introduction on a website | 5 | ☆☆☆ | | |
| かについて かんたんに 話します | Talk about the change of seasons | 6 | ☆☆☆ | | ( / / ) |
| と その りゆうを かんたんに 話します | Say what season you like and why | 7 | ☆☆☆ | | |
| て 話して あいさつを します | Greet people by talking about the weather | 8 | ☆☆☆ | | ( / / ) |
| わの はじめに てんきについて 話します | Start a conversation over the phone by talking about the weather | 9 | ☆☆☆ | | |
| ら、じぶんの まちの おすすめの ばしょ／ て ともだちに 言います。 | Tell a friend about a place/area of your recommendation using a map of your town | 10 | ☆☆☆ | | ( / / ) |
| ら、ともだちが きょうみを もっている ところ ろか、気を つける ことは なにか、言います。 | Tell a friend what the olace of his/her interest is like and what to be careful about, using a map | 11 | ☆☆☆ | | |
| への 行きかたを 言います | Tell someone how to get to a place nearby | 12 | ☆☆☆ | | ( / / ) |

**Examples of comments**

- I can give directions in Japanese, to a Japanese person I meet in the street.
- Now I can introduce my hometown in Japanese.
- I was surprised to hear about one of my classmates' experience of learning a foreign language.

### 2) Portfolio

Make a record of both your study and experiences of Japanese language and intercultural understanding. In order to reflect, put the following kinds of things into your portfolio.

① 'Can-do Check'
② Tests
③ Things you wrote using Japanese (e.g. comments on a website, cards, and so on)
④ Records of experiences with Japanese language and culture

## 5 Tests

For information about the procedure and contents of the tests, see Test and Reflection (p86-p87 and p140-p141).

# 6 Related Information

Marugoto Portal Site http://ma

You can download the resources es listed below free of charge.

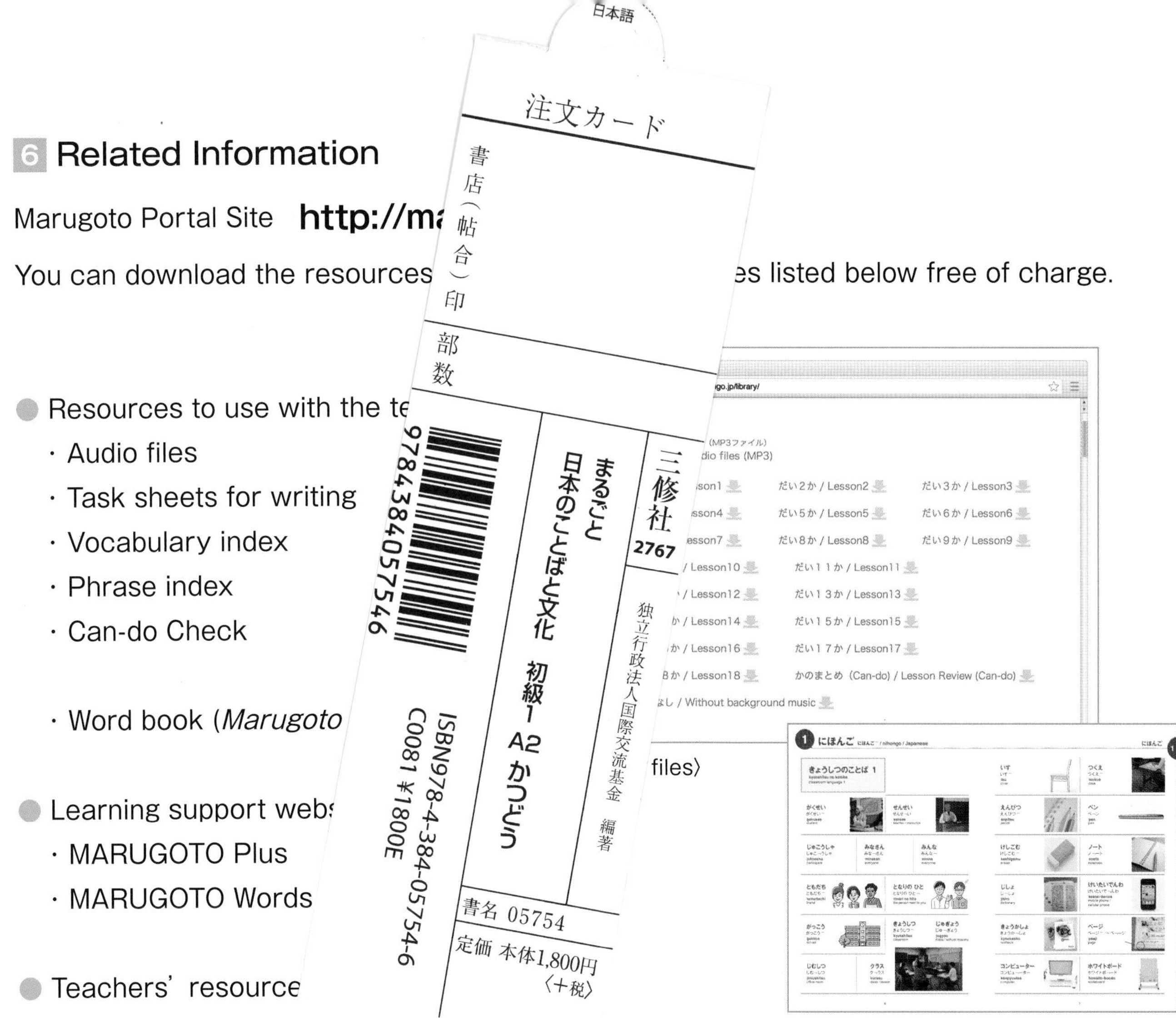


● Resources to use with the te

- Audio files
- Task sheets for writing
- Vocabulary index
- Phrase index
- Can-do Check

- Word book (*Marugoto*

files〉

● Learning support webs

- MARUGOTO Plus
- MARUGOTO Words

● Teachers' resource

〈Word book〉

# Table of Contents

*Marugoto: Japanese Language and Culture* Elementary1 A2 ( Coursebook for Communicative Language Activities )



| Topic | Goals | Main Expressions ( *Hakken ) |
|---|---|---|
| **1 My family and myself** *Watashi to kazoku* **p21** | **Lesson 1 We live in Tokyo** *Tookyoo ni sunde imasu* | |
| | 1 Talk briefly about where you/your family live and what you/ they do | · *Watashitachi wa Tookyoo ni sunde imasu.** · *Watashi wa hoteru de hataraite imasu.** |
| | 2 Say what language you speak with your family and friends | · *Otto wa Nihongo ga dekimasu.* · *Watashitachi wa Nihongo de hanashimasu.* |
| | **Lesson 2 My hobby is listening to classical music** *Shumi wa kurashikku o kiku koto desu* | |
| | 3 Talk about your hobbies | · *Shumi wa kurashikku o kiku koto desu.** · *Himana toki, nani o shimasu ka.** |
| | 4 Read short, simple comments about someone's self-introduction on a website | · *Kakkoii desu ne. / Tomodachi ni narimashoo.* |
| | 5 Write short, simple comments about someone's self-introduction on a website | |
| Life and Culture | Husband and wife roles | |
| **2 Seasons and weather** *Kisetsu to tenki* **p33** | **Lesson 3 It's spring now in Japan** *Nihon wa ima, haru desu* | |
| | 6 Talk about the change of seasons | · *Tookyoo wa ima, fuyu desu.* · *San-gatsu goro atatakaku narimasu.** |
| | 7 Say what season you like and why | · *Aki ga suki desu. Suzushii no ga suki desu kara.** |
| | **Lesson 4 It's a nice day, isn't it?** *Ii tenki desu ne* | |
| | 8 Greet people by talking about the weather | · *Ii tenki desu ne.* * / *Kinoo wa atsukatta desu ne.** |
| | 9 Start a conversation over the phone by talking about the weather | · *Kocchi wa ima, ame ga futte imasu.** · *Socchi wa doo desu ka.* |
| Life and Culture | "Cool" summers | |
| **3 My town** *Watashi no machi* **p47** | **Lesson 5 This park is big and beautiful** *Kono kooen wa hirokute, kiree desu* | |
| | 10 Tell a friend about a place/area of your recommendation, using a map of your town | · *Kono atari ni wa iroirona mise ga arimasu.* · *Kono kooen wa hirokute, kiree desu.** |
| | 11 Tell a friend what a place that he/she is interested in is like and what to be careful about, using a map | · *Kono atari wa nigiyakada kedo, chotto abunai desu yo.** |
| | **Lesson 6 Please go straight** *Massugu itte kudasai* | |
| | 12 Tell someone how to get to a place nearby | · *Sumimasen. Hakubutsukan wa doko desu ka. / Hakubutsukan ni ikitain desu ga….* · *Futatsu-me no kado o migi ni magatte kudasai.** |
| | 13 Correct some information misunderstood by someone | · *Hitotsu-me janakute, futatsu-me desu yo.** |
| | 14 Describe the features of buildings seen in the distance | · *Asoko ni shirokute ookii tatemono ga miemasu ne.** · *Taishikan wa massugu itte, sugu desu yo.** |
| Life and Culture | Many kinds of townscapes | |
| **4 Going out** *Dekakeru* **p61** | **Lesson 7 Is ten o'clock OK?** *Juu-ji de mo ii desu ka* | |
| | 15 Talk with a friend about the time and place you will meet | · *Nichiyoobi, machiawase wa doo shimasu ka.* · *Juu-ji ni JF-Hoteru no robii wa doo desu ka.* · *Juu-ichi-ji de mo ii desu ka.** |
| | 16 Read an E-mail from a friend saying he/she will be late | · *Michi ni mayoimashita. / Juutai desu.* |
| | 17 Apologise for being late and give a reason | · *Osokunatte sumimasen. Chotto michi ni mayotte….** |
| | **Lesson 8 Have you been to see the night view yet?** *Moo yakee o mi ni ikimashita ka* | |
| | 18 Invite a friend to visit a place of your recommendation / Respond to an invitation | · *Moo tawaa ni ikimashita ka.* · *Iie, mada desu.* · *Tawaa o mi ni ikimasen ka.** · *Ii desu ne. Ikimashoo.* / Sumimasen. Tawaa wa chotto….* |
| | 19 Say that you would like to drop by somewhere | · *Chotto mizu o kaitain desu ga….** · *Shokuji no ato de, mise ni ikimashoo.** |
| Life and Culture | Meeting | |
| **5 Languages and cultures of other countries** *Gaikokugo to gaikoku-bunka* **p73** | **Lesson 9 Japanese is easy to pronounce** *Nihongo wa hatsuon ga kantan desu* | |
| | 20 Say what languages you have studied and when | · *Daigaku no toki, Nihongo o benkyoo shimashita.* |
| | 21 Talk about foreign languages you have studied | · *Supeingo wa bunpoo ga muzukashikunai desu.** · *Arabiago wa hanasu no ga omoshiroi desu.** |
| | 22 Write down what languages you have studied and when | |
| | 23 Ask someone for help to understand or to learn a foreign language / Respond to a request for help | · *Sono jisho(o), kashite kudasai masen ka.** · *Kanji no kakikata o oshiete kudasai masen ka.** · *Ii desu yo. Doozo. / Sumimasen. Ima, chotto….* |
| | **Lesson 10 I'd like to go to Japan some day** *Itsuka Nihon ni ikitai desu* | |
| | 24 Talk about your involvement in the culture of another country | · *Watashi wa shuu ni ikkai Nihongo o benkyoo shite imasu.** · *Itsuka Nihon ni ikitai desu.** |
| | 25 Offer help to someone with a problem / Accept an offer of help | · *Doo shitan desu ka.* · *Issho ni eki ni ikimashoo ka.** · *Sumimasen. / Arigatoo gozaimasu.* |
| | 26 Read the program of an event | |
| Life and Culture | Enjoying the cultures of other countries | |
| **Test and Reflection 1 p86-p87** | | |

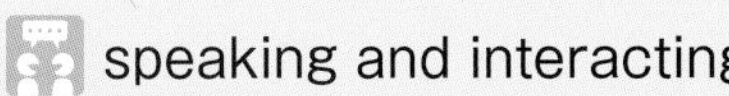 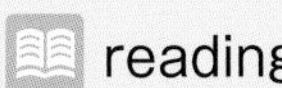 

| Topic | Goals | Main Expressions ( *Hakken ) |
|---|---|---|
| **6 Eating outdoors** *Soto de taberu* **p89** | **Lesson 11 What are you going to take to the picnic?** *Nani o motte ikimasu ka* | |
| | 27 Discuss what to take for a picnic | · *Raishuu no pikunikku, tabemono wa doo shimasu ka.*<br>· *Watashi wa onigiri(o), motte ikimasu.**<br>· *Abe-san wa onigiri desu ne. Onegaishimasu.* |
| | 28 Write a memo to say who is taking what for a picnic | |
| | 29 Ask/Say what specific food or drinks your friend/you would prefer for a picnic | · *Nomimono wa nani ga ii desu ka.**<br>· *Wain wa aka to shiro, docchi ga ii desu ka.**<br>· *Ocha ga ii desu. / Nan de mo ii desu. / Docchi de mo ii desu.*<br>· *Ocha ni shimasu.* |
| | **Lesson 12 It looks delicious** *Oishisoo desu ne* | |
| | 30 Talk about food you don't know much about | · *Sore, oishisoo desu ne.**<br>· *Kankoku no kinpa to nite imasu. / Aji wa chotto chigaimasu.* |
| | 31 Comment briefly on the taste of food | · *Kono sarada, chotto karakute, oishii desu ne.** |
| | 32 Offer a dish to your friends / Respond to an offer | · *Yokattara, sarada, doozo. / Moo sukoshi doo desu ka.*<br>· *Jaa, hitotsu itadakimasu. / Moo onaka ga ippai desu.* |
| Life and Culture | Lunch boxes | |
| **7 Business trips** *Shucchoo* **p103** | **Lesson 13 I have met Mr. Tanaka before** *Tanaka-san ni atta koto ga arimasu* | |
| | 33 Talk about someone visiting your office on a business trip and the date of his/her visit | · *Tanaka-san (o), shitte imasu ka.*<br>· *Tanaka-san ni atta koto (ga), arimasu.**<br>· *Tanaka-san ga juu-ni-nichi ni kimasu.* |
| | 34 Greet a visitor arriving at the airport | · *Otsukaresama deshita. Yookoso, Tanaka-san.*<br>· *Furaito wa ikaga deshita ka.* |
| | 35 Check the hotel room and tell your visitor if it is OK | · *Denki wa daijoobu desu.* |
| | 36 Read a business trip schedule | |
| | **Lesson 14 May I use this?** *Kore, tsukattemo ii desu ka* | |
| | 37 Introduce your colleagues to a visitor | · *Kochira wa hisho no Kyashii-san desu.*<br>· *Kyashii-san wa Nihongo, perapera desu.* |
| | 38 Ask to use things in the office | · *Konpyuutaa, karitemo ii desu ka.**<br>*Hai, doozo. / Sumimasen. Ima, kowarete imasu.* |
| | 39 See a visitor off at the airport with some parting phrases | · *Osewa ni narimashita.*<br>· *Honsha no minasan ni yoroshiku otsutae kudasai.* |
| | 40 Read a message from a colleague in the overseas office when you return home from a business trip | |
| Life and Culture | Japanese companies | |
| **8 Staying healthy** *Kenkoo* **p115** | **Lesson 15 How about doing some exercise?** *Taisoo suru to ii desu yo* | |
| | 41 Ask a friend how he/she is feeling / Answer how you are feeling | · *Doo shitan desu ka.*<br>· *Chotto kubi ga itain desu.* |
| | 42 Listen to/Say how to do some easy exercises | · *Koo yatte kata o yukkuri mawashite kudasai.*<br>· *Amari muri o shinaide kudasai ne.** |
| | 43 Suggest something good for the health | · *Neru mae ni, kono kusuri o nomu to ii desu yo.** |
| | **Lesson 16 I go running and swimming** *Hashittari, oyoidari shite imasu* | |
| | 44 Talk briefly about what you usually do to stay healthy | · *Kenkoo no tame ni nani ka shite imasu ka.*<br>· *Yoga o shitari, toreeningu o shitari shite imasu.**<br>· *Dono gurai shite imasu ka.*<br>· *Toreeningu wa shuu ni ni-kai desu.* |
| | 45 Read and answer a simple questionnaire on health | |
| | 46 Make a simple presentation about the results of a questionnaire | · *Supootsu o yoku suru hito wa san-nin desu.** |
| Life and Culture | Staying healthy | |
| **9 Celebrations** *Oiwai* **p127** | **Lesson 17 I got this for my birthday** *Tanjoobi ni morattan desu* | |
| | 47 Compliment a friend on his/her things | · *Sono nekkuresu, suteki desu ne.* |
| | 48 Talk about your things, saying when and from whom you got them | · *Kore, tanjoobi ni kare ni morattan desu.** |
| | 49 Talk briefly about the custom of present-giving in your country | · *Nihon de wa kekkon no oiwai ni donna mono o agemasu ka.*<br>· *(Oiwai ni) E toka tokee o agemasu.**<br>· *Heya ni kazaru mono ga ooi desu.** |
| | **Lesson 18 I think a party is a good idea** *Paathii ga ii to omoimasu* | |
| | 50 Discuss what to do for a friend's celebrations | · *Abe-san no kekkon no oiwai, doo shimasu ka.*<br>· *Oiwai wa paathii ga ii to omoimasu.**<br>· *Abe-san wa minna to hanashitai to itte imashita.** |
| | 51 Read a congratulatory message for a wedding | · *Gokekkon, omedetoo gozaimasu.* |
| | 52 Write a congratulatory message for a wedding | |
| | 53 Thank someone for a present you receive | · *Kore, Shin-san to watashi kara desu.*<br>· *Sutekina koohii-kappu desu ne. Arigatoo gozaimasu.* |
| Life and Culture | Giving presents | |
| **Test and Reflection 2 p140-p141** | | |

# わたしと かぞく

## だい 1 か　東京に すんでいます

1. かぞくや じぶんが どこに すんでいるか、なにを しているか かんたんに 話します
   Talk briefly about where you / your family live and what you / they do
2. かぞくや ともだちと なにごで 話すか 言います
   Say what language you speak with your family and friends

## だい 2 か　しゅみは クラシックを 聞(き)くことです

3. しゅみについて 話します
   Talk about your hobbies
4. じこしょうかいの サイトの みじかい コメントを 読みます
   Read short, simple comments about someone's self-introduction on a website
5. じこしょうかいの サイトに みじかい コメントを 書きます
   Write short, simple comments about someone's self-introduction on a website

1

# だい 1 か　東京に すんでいます

## 1 わたしの かぞく・しんせき

かぞくを しょうかいします。

### なかむら まおさんの かぞく

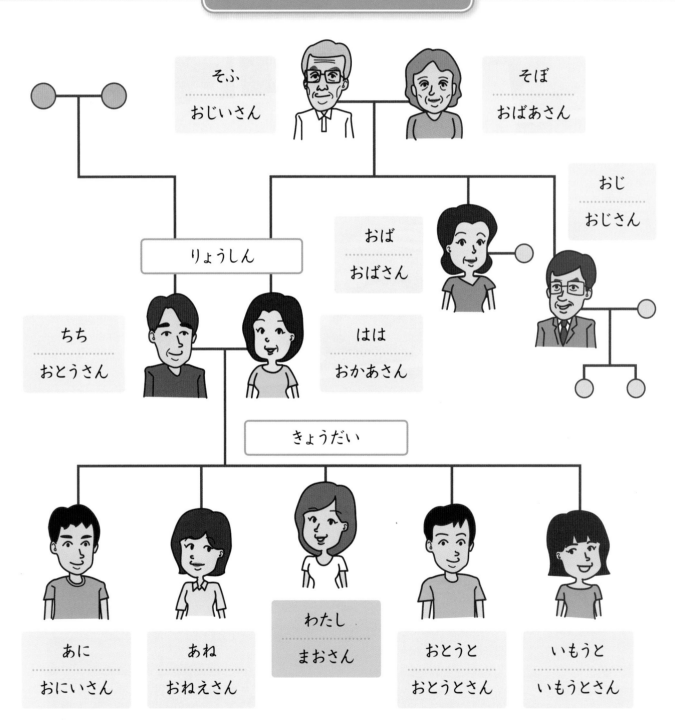

そふ
おじいさん

そぼ
おばあさん

おじ
おじさん

りょうしん

おば
おばさん

ちち
おとうさん

はは
おかあさん

きょうだい

あに
おにいさん

あね
おねえさん

わたし
まおさん

おとうと
おとうとさん

いもうと
いもうとさん

## いしかわ いちろうさんの かぞく

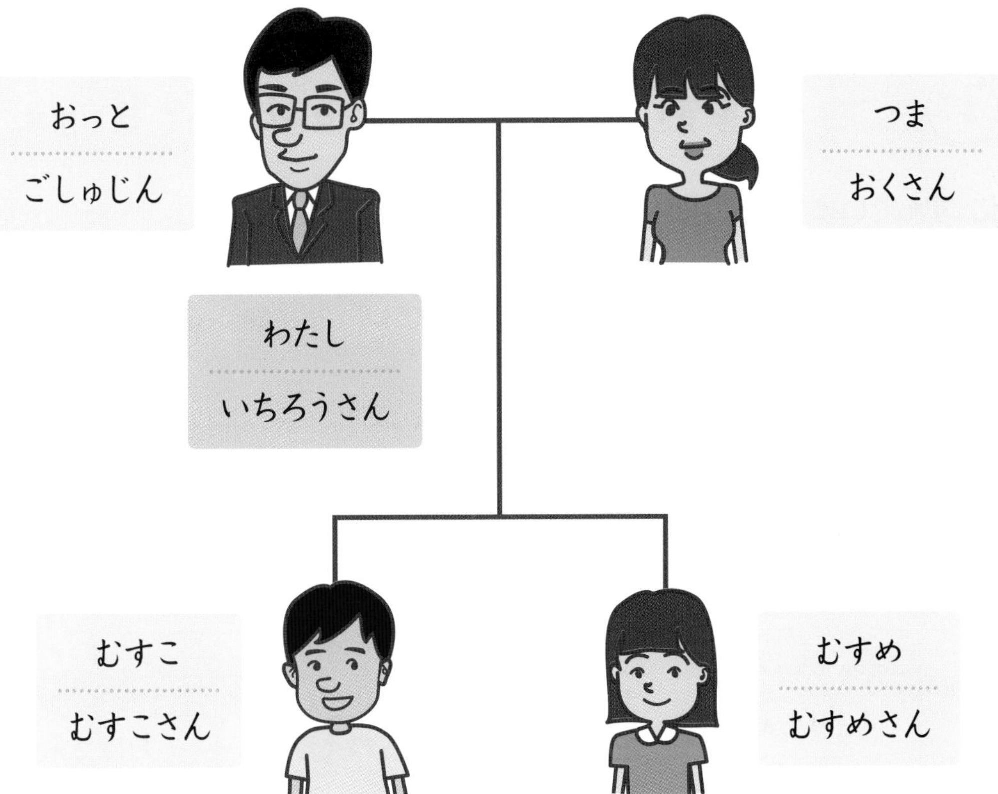


## わたしの かぞく

1

## ② わたしたちは 東京に すんでいます

  すずき まりさんが かぞくと しんせきについて 話(はな)します。

(1) どこに すんでいますか。

a 東京　b イタリア　c ブラジル　d ちゅうごく　e アメリカ

(2) かぞくは なんにんですか。

(3) しごとは なんですか。どこで はたらいていますか。

f ホテル　g びょういん　h しゅふ　i くるまの かいしゃ　j がくせい

| | 1 | 2 | 3 | 4 |
|---|---|---|---|---|
| | まりさん | まりさんの おにいさん | まりさんの おねえさん | まりさんの おばさん |
| (1) | a 東京 | | | |
| (2) | ( 3 ) 人(にん) | (　) 人 | (　) 人 | (　) 人 |
| (3) | f ホテル | | | |

## ルールを はっけんしましょう。

まりさんは 東京に すんで(い)ます。

- まりさんは ホテルで はたらいて(い)ます
- まりさんの おばさんは しゅふです。しごとは して(い)ません。
- まりさんの おねえさんは オペラを (べんきょうします → 　　　　　(い)ます)。
- まりさんの おにいさんは ちゅうごくに (すみます → 　　　　　(い)ます)。

話す(はな)とき

Vています　＝　Vてます

**V-て**

| | |
|---|---|
| しごとを します → しごとを して | すみます → すんで |
| べんきょうします → べんきょうして | はたらきます → はたらいて |

→p151

**あなたは どこに すんでいますか。なにを していますか 。**

わたしは すずき まり です。
東京 に すんで(い)ます。
わたしの かぞくは 3にん です。
おっと と むすめ です。
わたしは ホテル で はたらいて(い)ます。

## ❸ わたしたちは 日本語で 話します

**まりさんの かぞくや しんせきは、まりさんの ごしゅじんと なにごで 話しますか。**

a 日本語　　b えいご　　c かんこくご　　d イタリアご　　e ちゅうごくご

まりさんの おねえさん
・
・
・

まりさんの おにいさん
・
・
・

まりさんの おばさん
・ポルトガルご
・
・

2 ☐ ☐　　3 ☐ ☐　　4 ☐

まりさん
・日本語
・かんこくご
・えいご

1 a c

まりさんの ごしゅじん
・かんこくご
・えいご
・日本語

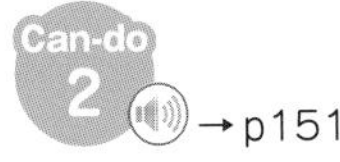
→p151

あなたは なにごが できますか。かぞくや ともだちと なにごで 話(はな)しますか。

すずき まり です。
日本人(にほんじん) です。
わたしは 日本語(にほんご)と かんこくごと えいご が できます。

おっとは かんこくじんです。 かんこくごと えいごが できます。
日本語(にほんご)も すこし できます。

わたしたちは 日本語(にほんご)と かんこくご で 話(はな)します。

へえ

わあ

ふうん

# だい2か しゅみは クラシックを 聞(き)くことです

## 1 すきな こと・しゅみ

  012 しゅみは なんですか。

a りょうり を つくります

b アクセサリー
c おかし

d サッカーの しあい を 見(み)ます

e えんげき
f オペラ

g きって を あつめます

h コイン
i にんぎょう

j えを かきます
k クラシックおんがくを 聞(き)きます

l しゃしんを とります

m がいこくごを べんきょうします

わたしの しゅみは しょうぎ です
n しょうぎ
o たこあげ
p ドライブ

・どくしょ
・りょこう
・チェス
・いご
・あみもの
・ガーデニング
・サイクリング
・すいえい
・じょうば
・カラオケ

たこあげ
しょうぎ
いご
あみもの

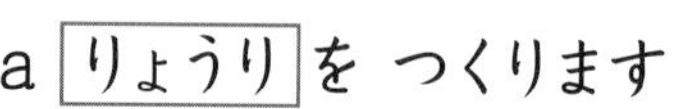

● あなたの しゅみは なんですか。

## ❷ しゅみは クラシックを 聞(き)くことです

  しゅみは なんですか。（p28 a-p）

| のださん | さとうさん | ヤンさん | たなかさん | ジョイさん |
|---|---|---|---|---|
| 1  | 2  |   |   | 5  |

**V-る こと**

べんきょうします → べんきょうすること
みます → みること
あつめます → あつめること
ききます → きくこと
とります → とること

 ルールを はっけんしましょう。

（1） しゅみは クラシックを 聞(き)くことです。

・しゅみは サッカーの しあいを 見(み)ることです。
・しゅみは がいこくごを べんきょうすることです。
・しゅみは しゃしんを（とります →　　　　　　　）です。
・しゅみは きってを（あつめます →　　　　　　　）です。

(2) こどもの とき / わかい とき / ひまな とき、＿＿＿＿＿＿。

### 1 の 3-5 を もういちど 聞(き)いて えらびましょう。

a ひまな とき　　b わかい とき　　c こどもの とき

・ヤンさんは（　　　　　　　）、よく サッカーを しました。
・たなかさんは（　　　　　　　）、よく りょうりを つくります。
・ジョイさんは（　　　　　　　）、よく りょこうしました。

**書(か)きましょう**

・（がくせい →　　　　　　　とき）、よく 日本の えいがを 見(み)ました。
・（ひま →　　　　　　とき）、よく さんぽします。

→p151

### しゅみについて 話(はな)しましょう。

しゅみは なんですか。

クラシックを 聞(き)くこと です。

そうですか。

とくに、バッハ が すきです。

---

ひまな とき、なにを しますか。

クラシックを 聞(き)きます 。

そうですか。

とくに、バッハ が すきです。

## ③ ともだちに なりましょう

とくいな〜

たなかさんの じこしょうかいを 聞(き)いて ください。たなかさんの しゅみは なんですか。

  どんな コメントが ありますか。読(よ)みましょう。

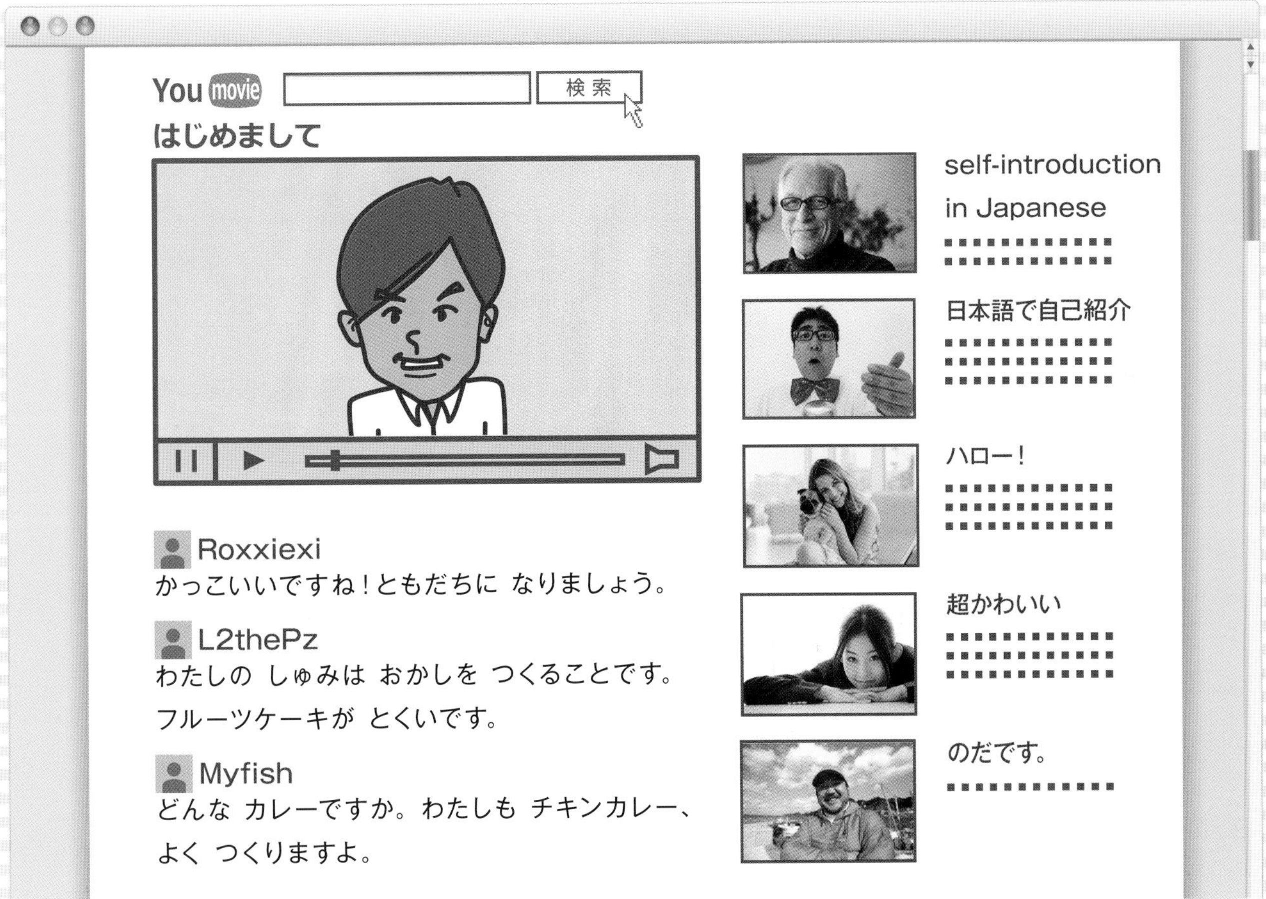
You movie
検索
はじめまして
Roxxiexi
かっこいいですね！ともだちに なりましょう。
L2thePz
わたしの しゅみは おかしを つくることです。
フルーツケーキが とくいです。
Myfish
どんな カレーですか。わたしも チキンカレー、
よく つくりますよ。
self-introduction in Japanese
日本語で自己紹介
ハロー！
超かわいい
のだです。

   あなたも コメントを 書(か)きましょう。

# つまと おっとの やくわり

## Husband and Wife Roles

さいきん、かていの なかでの つまと おっとの やくわりが かわってきました。どのように かわったと おもいますか。 それは どうしてだと おもいますか。しゃしんを 見(み)て、かんがえましょう。

The household roles of husband and wife have been changing recently. How and why do you think they have changed? Look at the pictures and think about it.

1

2

3

4

● あなたや あなたの まわりの ひとと おなじですか。

Is it the same for you and the people around you?

# きせつと てんき

## だい 3 か　日本は いま、はるです

6. きせつの へんかについて かんたんに 話します
   Talk about the change of seasons
7. すきな きせつと その りゆうを かんたんに 話します
   Say what season you like and why

## だい 4 か　いい てんきですね

8. てんきについて　話して　あいさつを　します
   Greet people by talking about the weather
9. でんわの かいわの はじめに てんきについて 話します
   Start a conversation over the phone by talking about the weather

2

# だい3か　日本は いま、はるです

## 1 きせつ

019 日本の きせつ

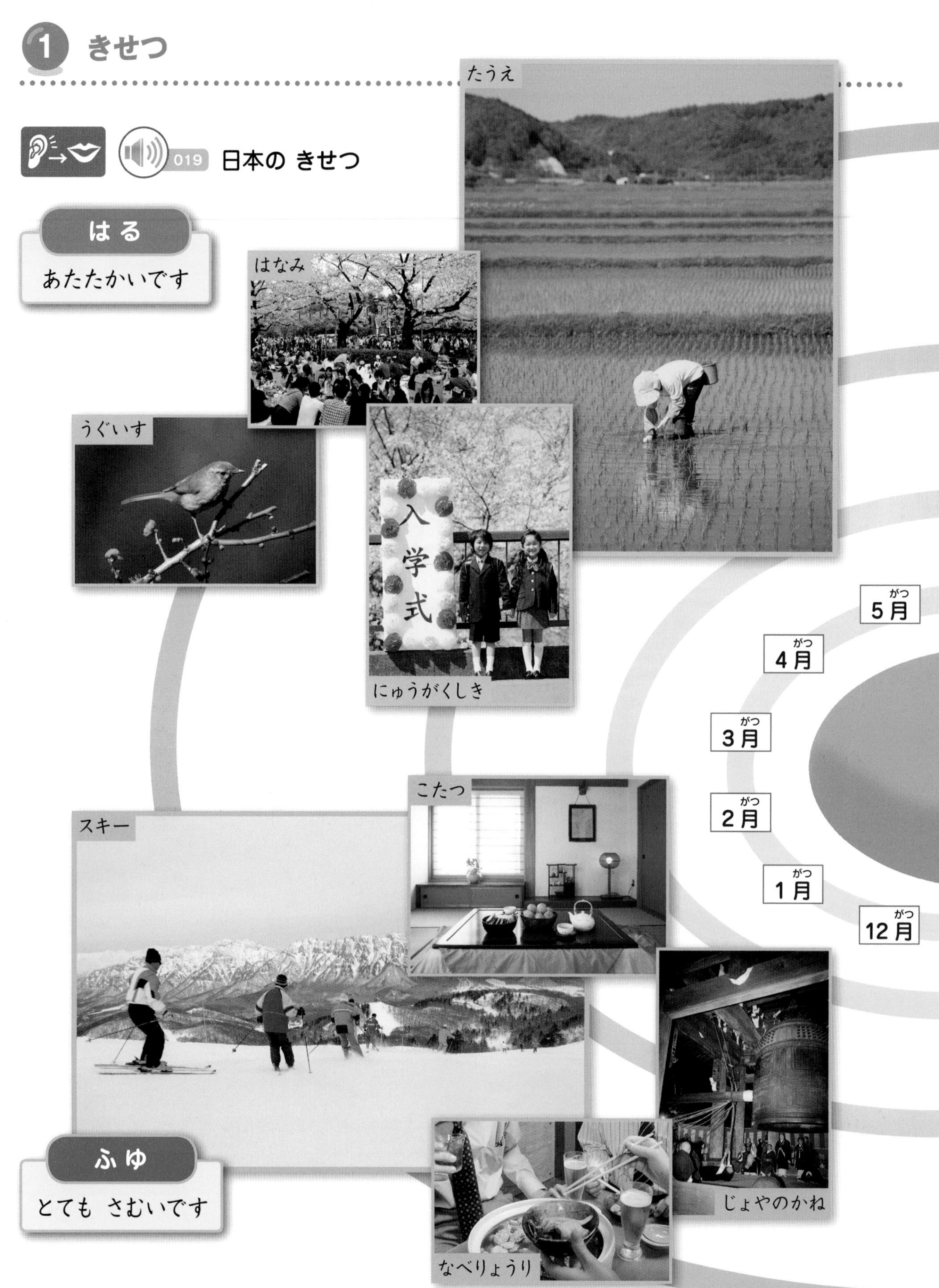

きおん〜℃（ど）
8月 30.8℃
1月 2.1℃
（東京の へいきん）

うき
あめが よく ふります

かんき
あめが ふりません

あじさい

つゆ
むしあついです

たんぼ

なつ
とても あついです

はなび

せみ

ひまわり

すいかわり

6月
7月
8月
9月
10月
11月

もみじ

いねかり

ぶどうがり

こおろぎ

あき
すずしいです

● あなたの くにには どんな きせつが ありますか。
その きせつに なにを しますか。

## ② いま、どんな きせつですか

  日本の きせつについて 聞(き)きましょう。

（1）日本は いま、どんな きせつですか。

（2）なん月(がつ)ごろ、つぎの きせつに なりますか。

| | 1 | 2 | 3 | 4 |
|---|---|---|---|---|
| (1) | d ふゆ | | | |
| (2) | （３）月(がつ) | （　）月(がつ) | （　）月(がつ) | （　）月(がつ) |

● あなたは いつ 日本に 行(い)きたいですか。

**イA-く**

あたたかい → あたたかく
あつい → あつく
さむい → さむく
すずしい → すずしく

 ルールを はっけんしましょう。

３月(がつ)ごろ、あたたかく なります。はるに なります。

- ６月(がつ)ごろ、あつく なります。なつに なります。
- ９月(がつ)ごろ、（すずしい →　　　　　なります）。（あき →　　　　　なります）。
- １２月(がつ)ごろ、（さむい →　　　　　なります）。（ふゆ →　　　　　なります）。

● あなたの くにの きせつを 書(か)きましょう。

| ～月(がつ) | 1 | 2 | 3 | 4 | 5 | 6 | 7 | 8 | 9 | 10 | 11 | 12 |
|---|---|---|---|---|---|---|---|---|---|---|---|---|
| 日本／東京 | ふゆ | | | はる | | | なつ | | | あき | | ふゆ |
| わたしの くに | | | | | | | | | | | | |

3  Can-do 6 →p151 ともだちの くに／まちは どんな きせつですか。

日本／東京 は いま、どんな きせつですか。

いま、ふゆ です。さむいです よ。

そうですか。じゃあ、いつごろ あたたかく なります か。

そうですね。だいたい ３月(がつ)ごろ です。

## ③ すきな きせつは いつですか

4にんの はなしを 聞きましょう。

やまださん

アニスさん

カールさん

おがわさん

1 [a はる] [e]　2 　3 　4 

（1） 4にんの すきな きせつは いつですか。

a はる　　b なつ　　c あき　　d ふゆ

（2） どうしてですか。

2 ルールを はっけんしましょう。

**イA-いの**

あたたかい → あたたかいの
あつい → あついの
さむい → さむいの
すずしい → すずしいの

（1） あたたかいのが すきです。

・はるが すきです。あたたかいのが すきです。
・なつは すきじゃないです。あついのが にがてです。
・あきが すきです。（すずしい → 　　　　　　）が すきです。
・ふゆは すきじゃないです。（さむい → 　　　　　　）が にがてです。

（2）あきが すきです。すずしいですから。

どうして あきが すきですか。

- すずしい です
- すずしい のが すきです
- もみじ が きれいです
- くだもの が おいしいです
- りょこう が できます
- まつり が あります

} から。

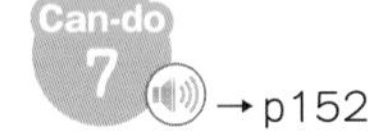


→p152

**あなたの すきな きせつは いつですか。どうしてですか。**

**グループで 話（はな）しましょう。**

すきな きせつは いつですか。

あき です。／ あき が いちばん すきです。

どうしてですか。

すずしいのが すきです ／ 食（た）べものが おいしいです から。

● **おなじ きせつが すきな ひとは だれですか。りゆうも おなじですか。**

# だい4か いい てんきですね

## 1 てんき

(1) どんな てんきですか。

1 はれ ／ いい てんき
はれます

2 くもり
くもります

3 あめ
あめが ふります

4 ゆき
ゆきが ふります

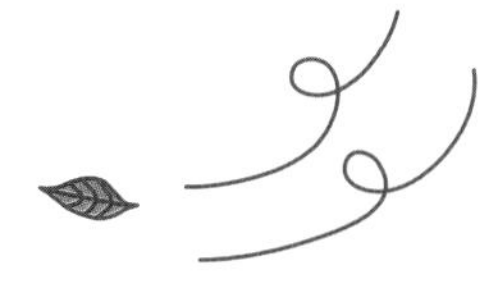

5 かぜ
かぜが ふきます

6 さむいです

7 あついです

(2) せかいのてんき

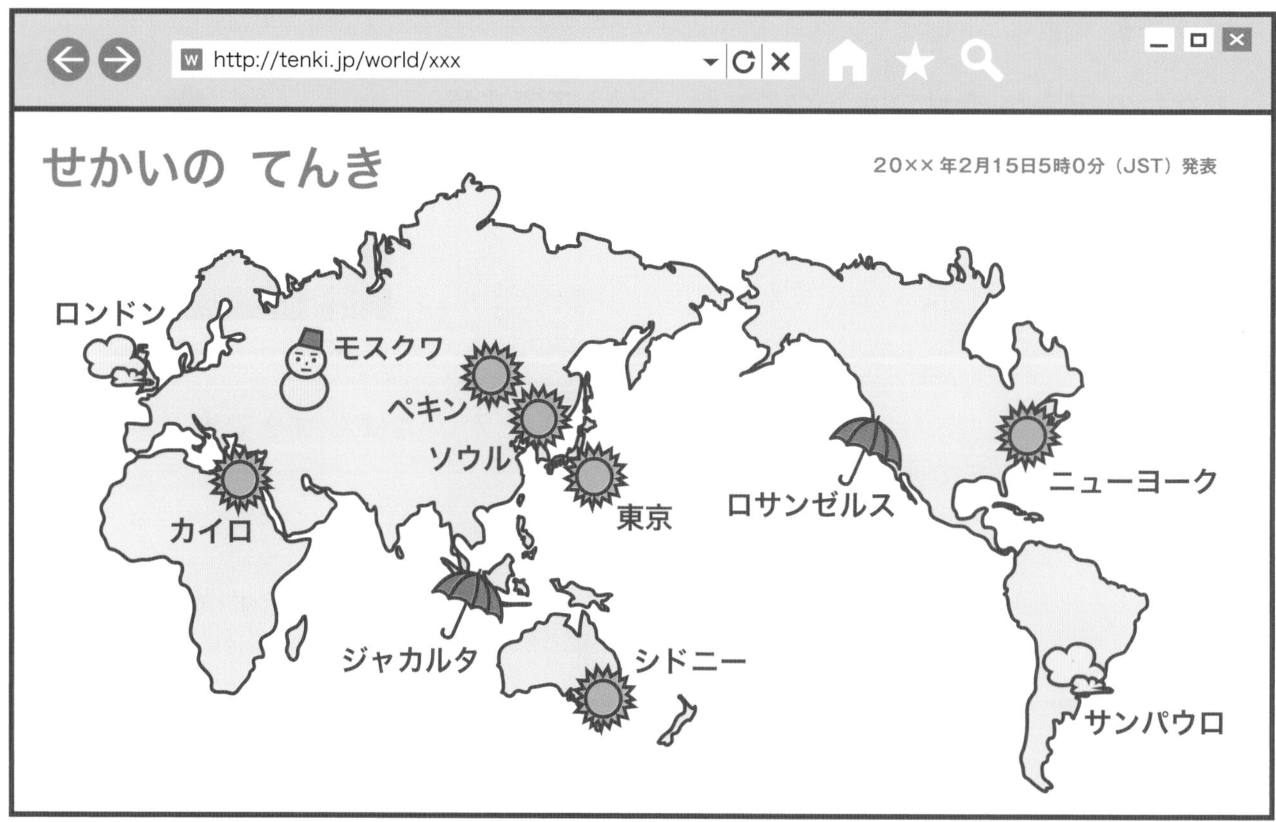

## ② いい てんきですね

  030-033 あいさつを 聞(き)きましょう。

（1）どんな てんきの ときの あいさつですか。

1 a　2 　3 　4 

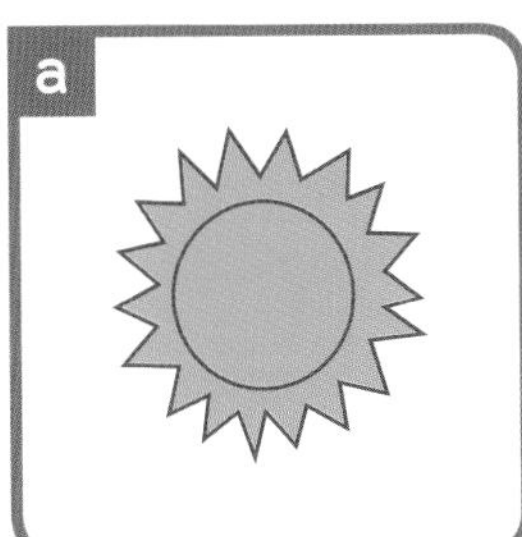



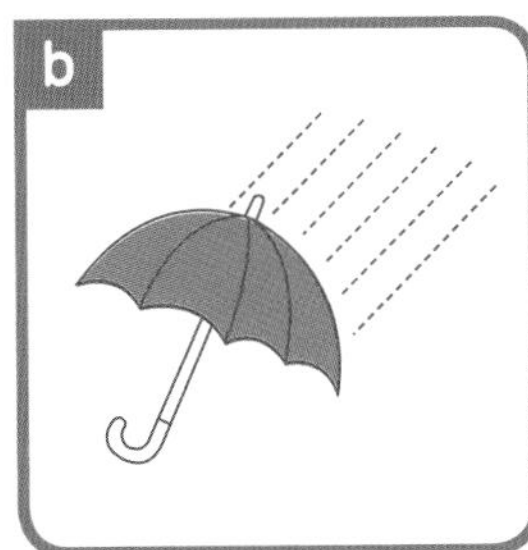

（2）きのうの てんきについての かいわは どれですか。（1- 4）

 ルールを はっけんしましょう。

あめです ／ あめでした

| ひかこけい ( non-past form ) | かこけい ( past form ) |
|---|---|
| ・あめです<br>・あついです<br>・あめが ふります | ・あめでした<br>・あつかったです<br>・あめが ふりました |

・きのうは（くもり → 　　　　　　　　）。
・きょうは（さむい → 　　　　　　　　）。
・せんしゅうは（あつい → 　　　　　　　　）。
・あしたは ゆきが（ふります → 　　　　　　　　）。

4

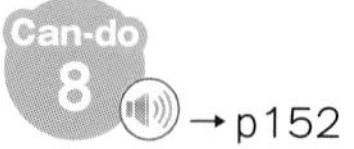


いい てんきですね。

**あいさつをしましょう。**

**1**

いい てんきですね。

そうですね。
いい てんきですね。

きもちが いいですね。

**2**

きのうは よく
ふりましたね。

ええ、すごい
あめでしたね。

**3**

さむいですね。

ええ、さむいですね。

**4**

きのうは
あつかったですね。

そうですね。
あつかったですね。

たいへんでしたね。

## ③ いま、あめが ふっています

テレビで てんきを レポートします。

日本の 4（よっ）つの まちは いま、どんな てんきですか。

a はれ

b くもり

c あめ

d ゆき

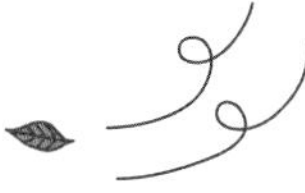
e かぜ

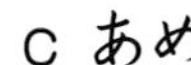

4 札幌（さっぽろ） ■

3 富山（とやま） ■

2 福岡（ふくおか） ■

1 東京（とうきょう） ■ a はれ

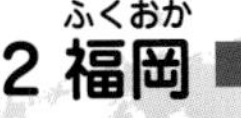

2 ルールを はっけんしましょう。

いま、<u>はれて（い）ます</u>。

- いま、あめが <u>ふって（い）ます</u>。
- いま、ゆきが 50 センチぐらい <u>つもって（い）ます</u>。
- いま、かぜが（ふきます →　　　　　（い）ます）。
- いま、（くもります →　　　　　（い）ます）。

**V-て**

はれます → はれて
くもります → くもって
つもります → つもって
ふります → ふって
ふきます → ふいて

● いま、あなたの まちの てんきは どうですか。

東京の たなかさんは よく いろいろな くにの ひとと 話(はな)します。

4(よっ)つの まちは いま、どんな てんきですか。

a はれ　b くもり　c あめ　d ゆき　e あつい　f さむい　g あたたかい

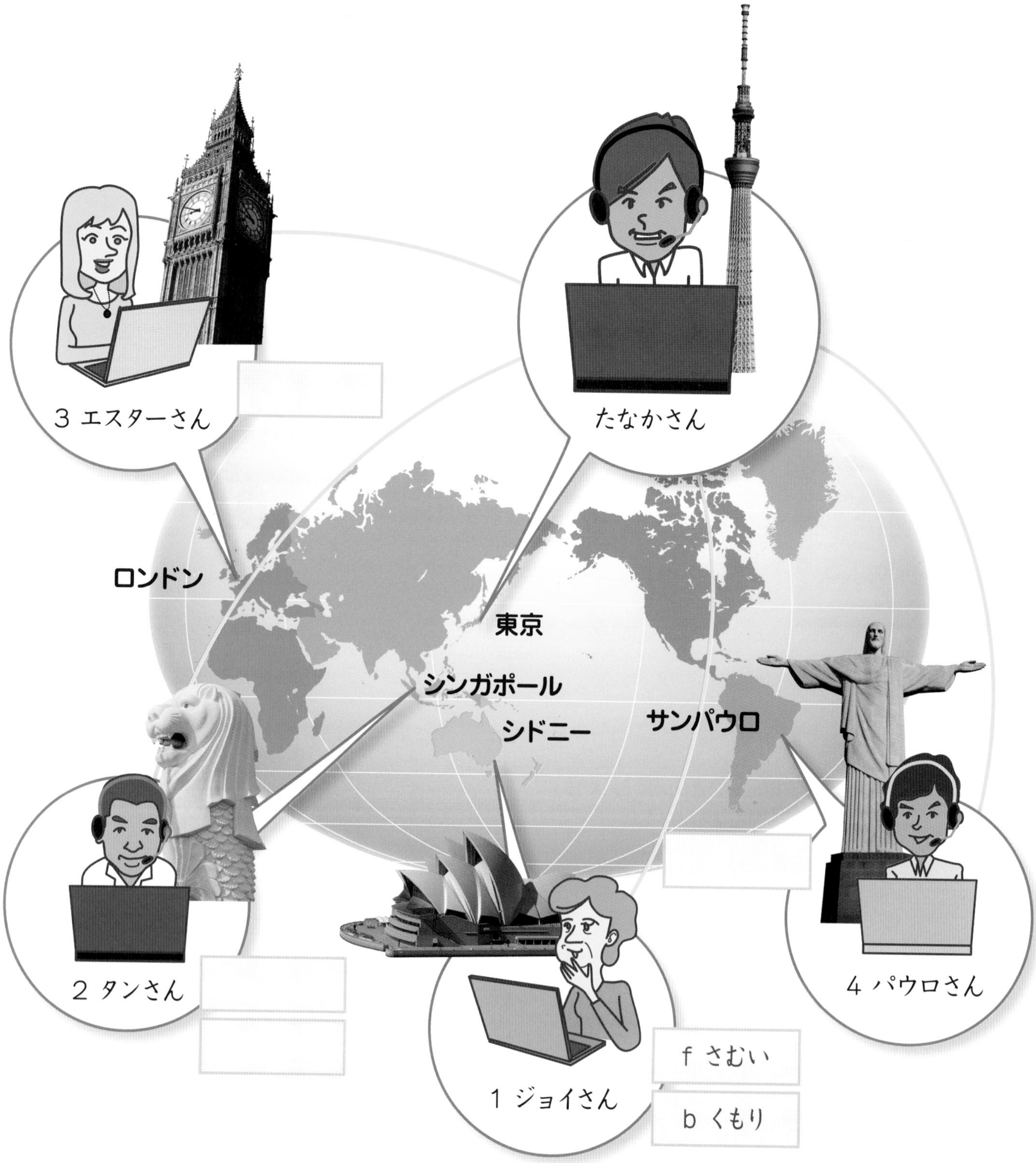

3 エスターさん

たなかさん

ロンドン

東京

シンガポール

シドニー

サンパウロ

2 タンさん

1 ジョイさん

f さむい

b くもり

4 パウロさん

→p152

でんわで あいさつを します。「せかいの てんき」(p40) を 見て 話しましょう。

もしもし、ジョイさん ですか。たなか です。

おひさしぶりです。

ああ、たなかさん 、おげんきですか。

はい、げんきです。こっちは いま、あめが ふってます／まいにち あついです よ。

おかげさまで。

たいへんです ね。

そっちは どうですか。

こっちは よく はれてます ／ いい てんきです よ。

そうですか。

# 「すずしい」なつ

## "Cool" Summers

**日本の なつは きおんと しつどが とても たかく なります。**
**あつい きせつを きもち よく すごすために、日本には いろいろな せいかつの くふうが あります。**

Summer in Japan is very hot and humid. There are many tricks for staying comfortable during the hot season.

● **あなたの くにでは、きびしい きせつを きもち よく すごすために、どんな ことを しますか。**

What do you do in your country to stay comfortable during seasons of extreme weather?

1. ふうりん <wind chimes>　2. ながしそうめん <flowing noodles>
3. きんぎょばち <goldfish bowls>　4. グリーンカーテン <green walls>
5. おばけやしき ／ ゆうれい <haunted houses / ghosts>

# わたしの まち

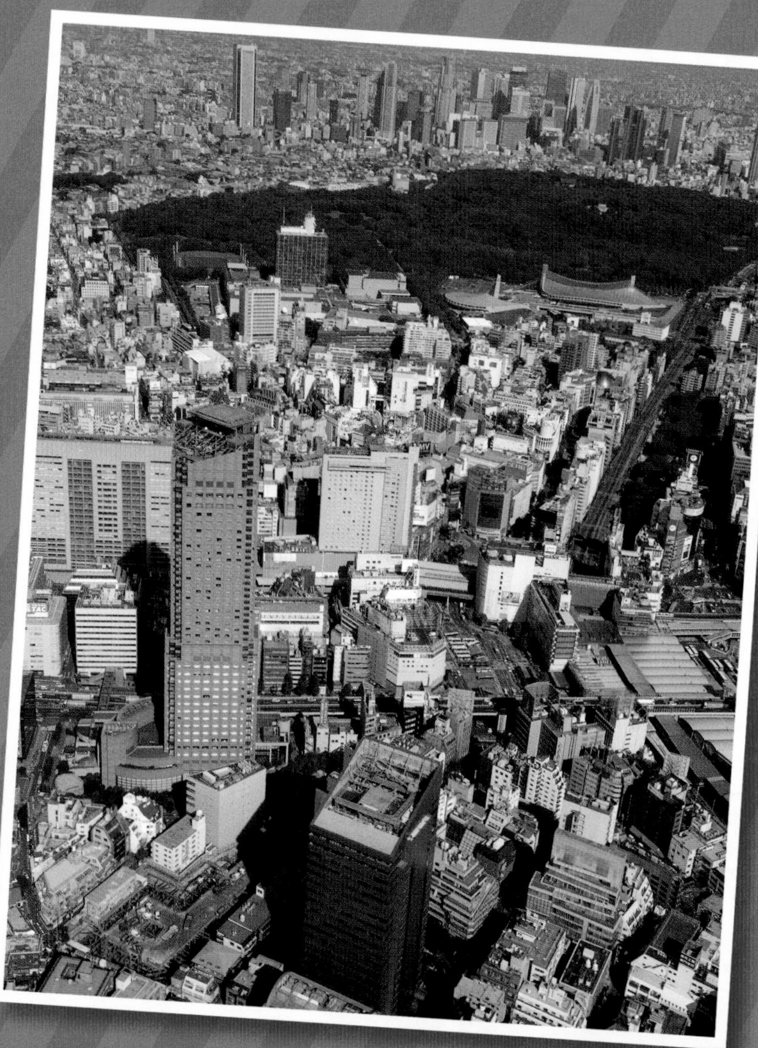

## だい 5 か　この こうえんは ひろくて、きれいです

10. ちずを 見ながら、じぶんの まちの おすすめの ばしょ／ちいきについて ともだちに 言います
    Tell a friend about a place/area of your recommendation, using a map of your town
11. ちずを 見ながら、ともだちが きょうみを もっている ところが どんな ところか、きを つける ことは なにか、言います
    Tell a friend what a place that he/she is interested in is like and what to be careful about, using a map

## だい 6 か　まっすぐ 行(い)って ください

12. ちかくの ばしょへの 行きかたを 言います
    Tell someone how to get to a place nearby
13. あいてが 聞きまちがえた ことを なおします
    Correct some information misunderstood by someone
14. とおくに 見える たてものの とくちょうを 言います
    Describe the features of buildings seen in the distance

# この こうえんは ひろくて、きれいです

## 東京

● あなたの まちに ともだちが 来(き)ました。
どんな ところを しょうかいしますか。

中野区 Nakano-ku

杉並区 Suginami-ku

7 新宿(しんじゅく)

にぎやかです

西口(にしぐち)

東口(ひがしぐち)

いざかや

新宿 Shinjuku

6 原宿(はらじゅく)

わかい ひとが おおいです

原宿 Harajuku

港区 Minato-ku

渋谷 Shibuya

世田谷区 Setagaya-ku

かわいい みせ

目黒区 Meguro-ku

5 銀座(ぎんざ)

おしゃれです

ゆうめいな みせ

品川 Shinagawa

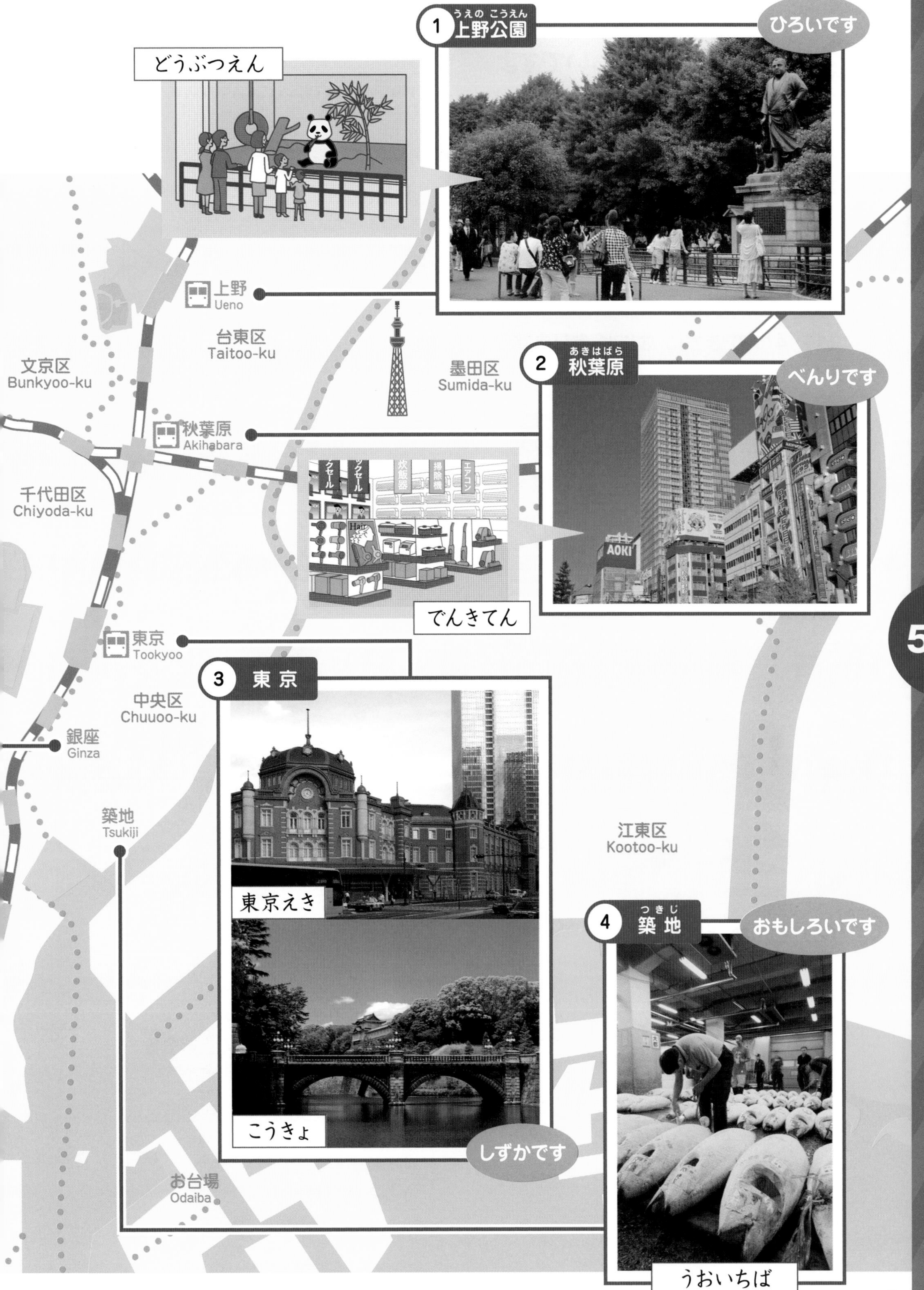
1 上野公園
うえの こうえん
ひろいです
どうぶつえん
上野
Ueno
台東区
Taitoo-ku
文京区
Bunkyoo-ku
墨田区
Sumida-ku
2 秋葉原
あきはばら
べんりです
秋葉原
Akihabara
千代田区
Chiyoda-ku
炊飯器
掃除機
エアコン
でんきてん
東京
Tookyoo
3 東京
中央区
Chuuoo-ku
銀座
Ginza
築地
Tsukiji
東京えき
こうきょ
しずかです
江東区
Kootoo-ku
4 築地
つきじ
おもしろいです
お台場
Odaiba
うおいちば

5

## ② にぎやかで、たのしいですよ

ワンさんが 東京に 来(き)ました。よしださんたちは 東京の ちずを 見(み)て、ワンさんと 話(はな)しています。

ここ　　この あたり

(1) 4(よっ)つの まちに なにが ありますか。

a

b

c

d

(2) どんな ところですか。　(ア) ひろい　(イ) きれい　(ウ) にぎやか
(エ) べんり　(オ) しずか　(カ) たのしい

| | 1 秋葉原(あきはばら) | 2 原宿(はらじゅく) | 3 皇居(こうきょ) | 4 上野公園(うえのこうえん) |
|---|---|---|---|---|
| (1) | a | | | |
| (2) | やすい | | | |
| | エ べんり | | きもちが いい | |

## 2 ルールを はっけんしましょう。

**イＡ-くて／ナＡ-で**

ひろい → ひろくて
やすい → やすくて
しずかな → しずかで
にぎやかな → にぎやかで

この みせは やすくて、べんりです。

- この まちは にぎやかで、たのしいです。
- この あたりは（しずかな →　　　　　　　）、きもちが いいです。
- この こうえんは（ひろい →　　　　　　　）、きれいです。

## 3 Can-do 10 →p152

**あなたの まちについて 話（はな）しましょう。どこが おもしろいですか。**

ここは JF タウン です。
JF タウン？
はい。この あたり（に）は いろいろな みせ が あります。
そうですか。
にぎやかで、たのしいですよ。
いいですね。
ぜひ 行（い）ってみて ください。
行（い）ってみます。

たのしいですよ。

## ③ おしゃれだけど、ちょっと たかいですよ

ワンさんたちの かいわを 聞(き)きましょう。

どの あたり

a

b

c

d
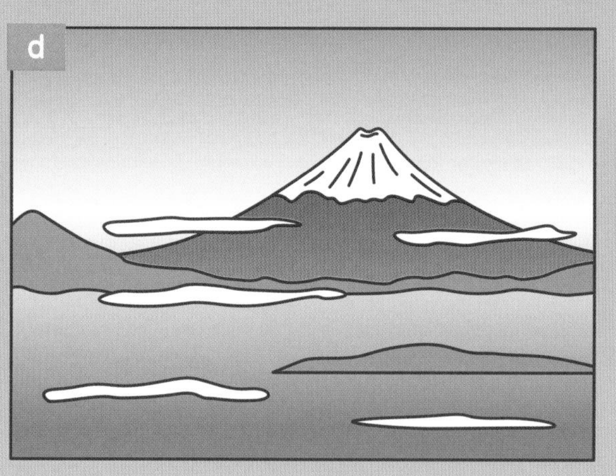

(1) 3にんは なんについて 話(はな)して いますか。

(2) どんな ところですか。

(ア) おもしろい　(イ) きれい　(ウ) にぎやか
(エ) あぶない　(オ) たかい　(カ) とおい

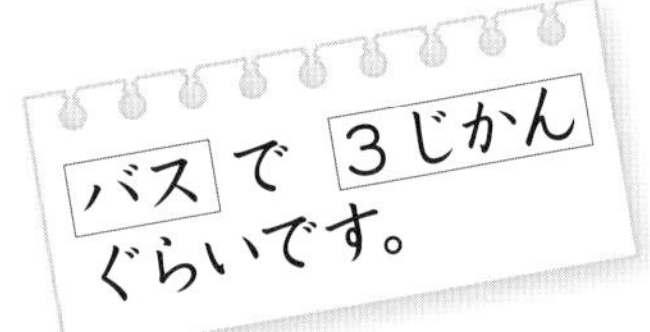


| | 1 | 2 | 3 | 4 |
|---|---|---|---|---|
| (1) | c | | | |
| (2) | おしゃれ | | | |
| | | | あさ はやい | |

## 2 ルールを はっけんしましょう。

ゆうめいな みせは おしゃれだけど、ちょっと たかいです。

・この あたりは にぎやかだけど、よる ちょっと あぶないです。
・うおいちばは（ おもしろい →　　　　　）、あさ はやいです。
・ふじさんは（ きれい →　　　　　）、ここから とおいです。

● a と b を くらべましょう。 どう ちがいますか。
a ふじさんは ここから とおいけど、とても いいです。
b ふじさんは とても いいけど、ここから とおいです。

**イA-い／ナA-だ けど**

おもしろい
→ おもしろいけど
おしゃれな
→ おしゃれだけど
きれいな
→きれいだけど
にぎやかな
→ にぎやかだけど

みせ や レストラン

## 3 Can-do 11

→p153

**ともだちは どこに 行(い)きたいですか。それは どんな ところですか。**

JF タウン は どの あたりですか。

このあたりです。
みせや レストランが おおいです。

そうですか。

JF タウンは おしゃれだけど、ちょっと たかいですよ。

わかりました。

でも、行(い)ってみます。

いっしょに 行(い)きましょう。

だい6か まっすぐ 行って ください

## 1 まちの とおり

(1) 051

(2) 052

（1）まちに なにが ありますか。

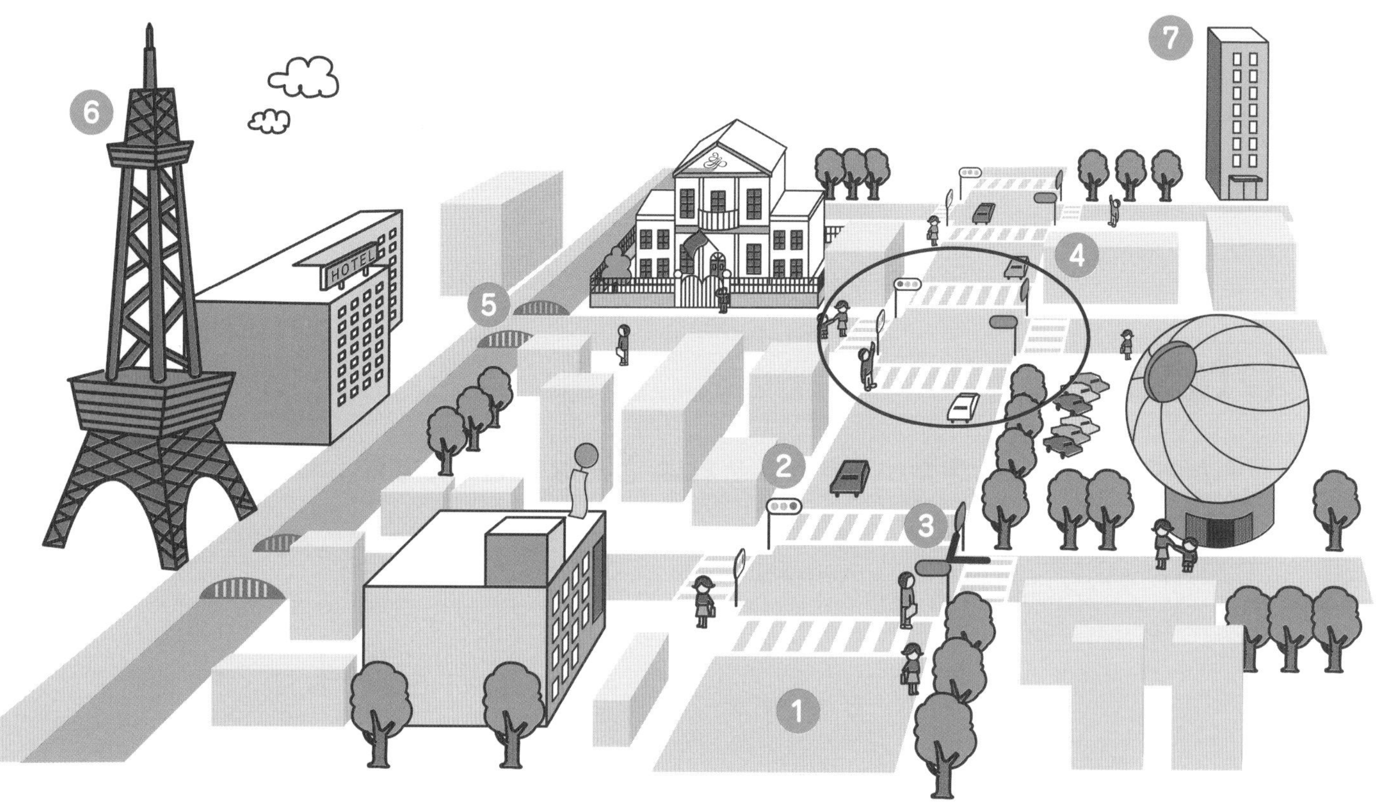


1 とおり ／ みち
2 しんごう
3 かど
4 こうさてん
5 はし
6 たかい タワー
7 あおい ビル ／ たてもの

あそこに あおい ビルが 見えますね。

## (2) どうやって 行きますか。

行きます　まがります　わたります　　1つめ　2つめ

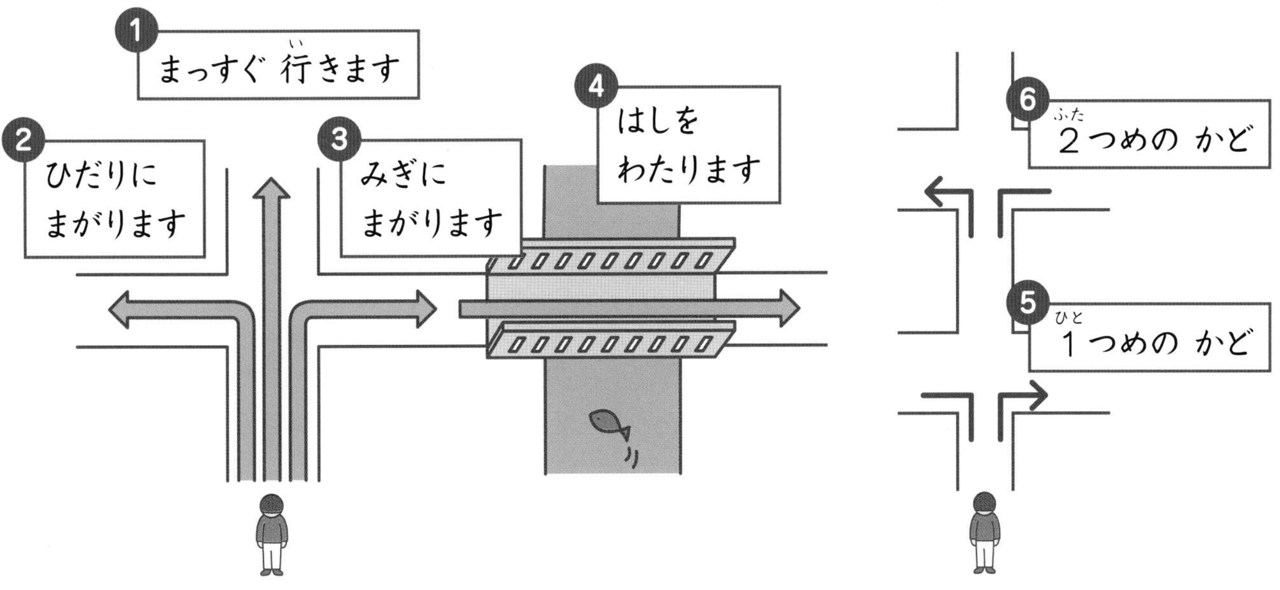

＜ベトナム　ホーチミンの ベンタイン市場＞

＜イギリス　ロンドンの カムデンマーケット＞

● あなたの まちの とおりには なにが ありますか。

## ② 1つめじゃなくて、2つめです

パウロさんは いま、日本を りょこうしています。日本の まちで みちを 聞きます。4つの たてものは どこですか。

| 1 はくぶつかん | b |
|---|---|
| 2 ホテル | |
| 3 デパート | |
| 4 たいしかん | |

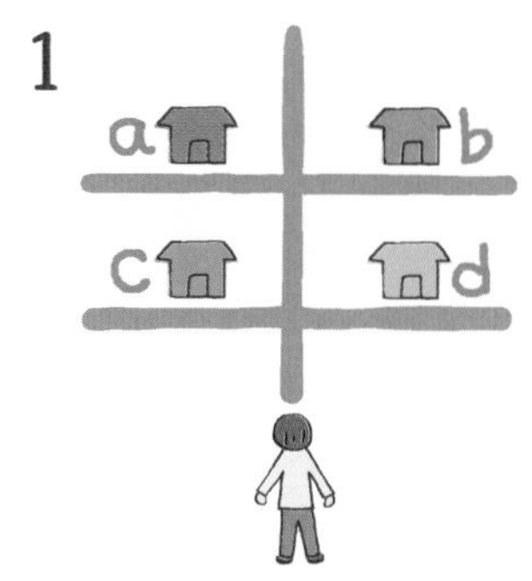

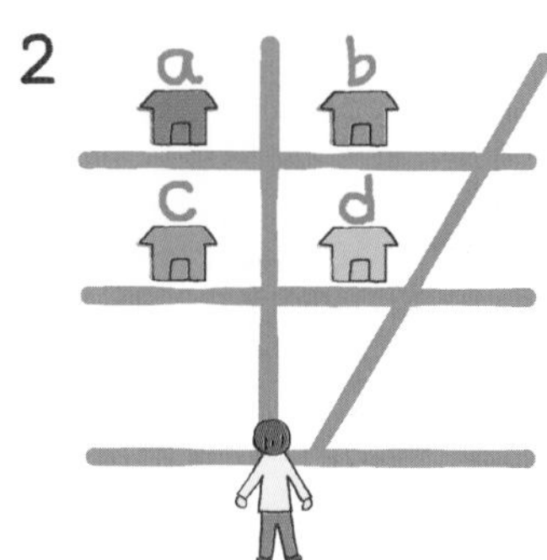

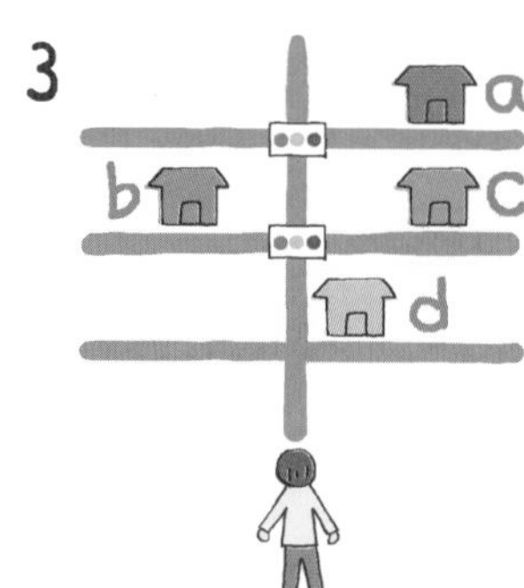

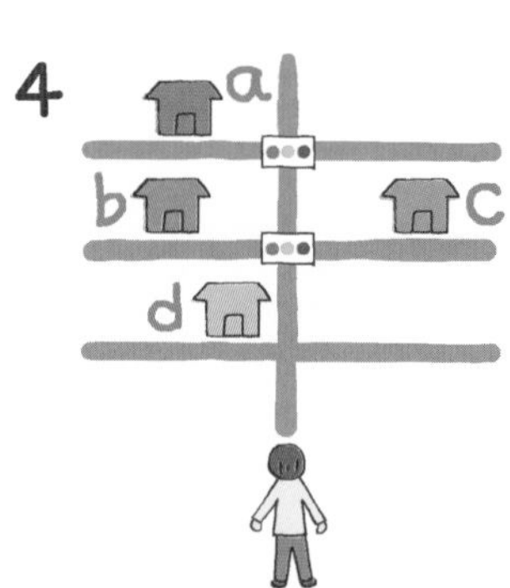


**V-て**

いきます → いって
まがります → まがって
わたります → わたって

**2** ルールを はっけんしましょう。

(1) まっすぐ 行って ください。

・1つめの かどを みぎに まがって ください。
・2つめの かどを ひだりに (まがります → 　　　　　　ください)。
・あの はしを (わたります → 　　　　　　ください)。

(2) <u>１つめじゃなくて</u>、２つめの かどです。

・<u>２つめじゃなくて</u>、１つめです。
・かどを（みぎ →　　　　　　　　　　　　）、ひだりです。
・しんごうを（ひだり →　　　　　　　　　　　　）、みぎに まがって ください。

→p153

**みちを 聞きましょう。１（p56）の 1-4 に どうやって 行きますか。**

すみません、はくぶつかん は どこですか。

２つめの かど を みぎに まがって ください。

２つめの かど を みぎ ですね。
ありがとうございます。

１つめの かど を みぎ ですね。

いいえ、１つめ じゃなくて、
２つめ ですよ。

あ、２つめ ですね。
どうも ありがとうございます。

## ③ しろくて 大(おお)きい たてものが 見(み)えます

1－4は どの たてものですか。

1 たいしかん c

2 あさひはくぶつかん

3 ふじホテル

4 ゆうびんきょく

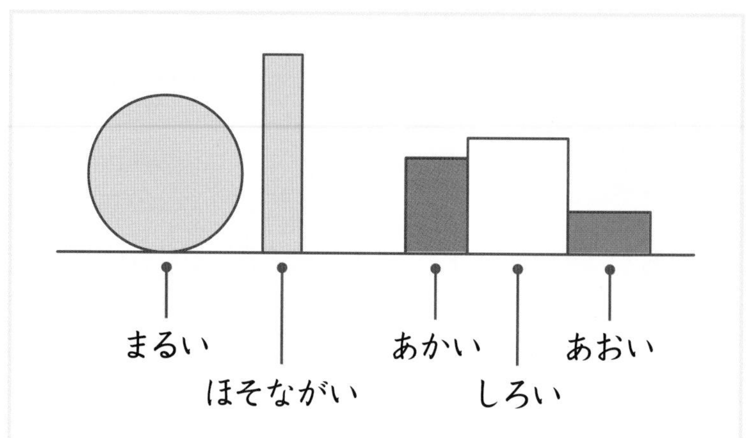

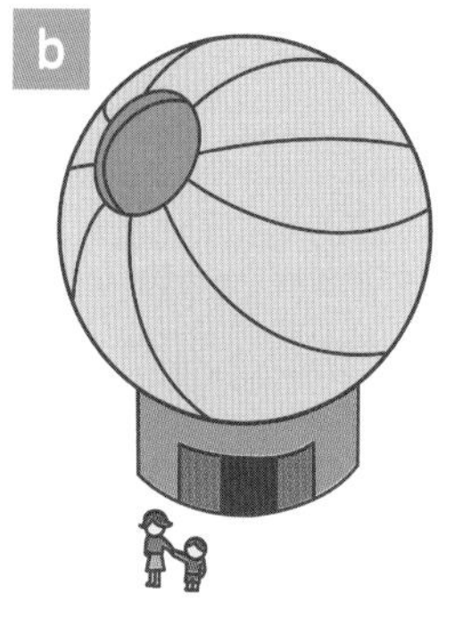


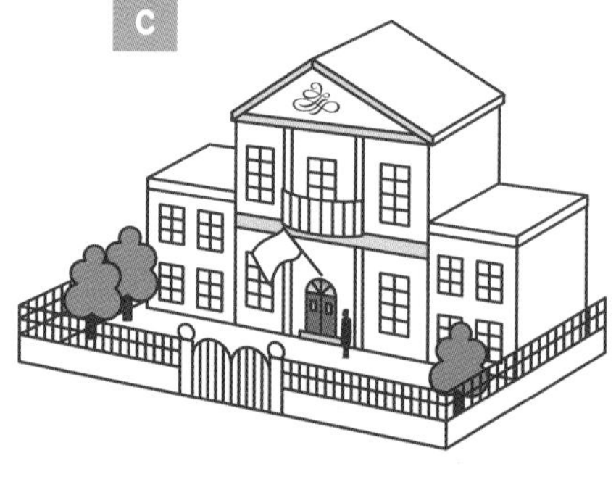

## ルールを はっけんしましょう。

**イA-くて**

あおい → あおくて
あかい → あかくて
しろい → しろくて
まるい → まるくて

(1) あそこに しろくて 大(おお)きい たてものが 見(み)えます。

- あそこに まるくて おもしろい たてものが 見(み)えます。
- あそこに（あかい＋たかい →　　　　　　　　タワー）が 見(み)えます。
- あそこに（あおい＋ほそながい →　　　　　　　　ビル）が 見(み)えます。

**V-て**

いきます → いって
まがります → まがって
わたります → わたって

(2) たいしかんは まっすぐ 行(い)って、すぐです。

- はくぶつかんは かどを みぎに まがって、すぐです。
- ホテルは はしを（わたります →　　　　　　　　）、まっすぐ 行(い)って ください。
- ぎんこうは この とおりを まっすぐ（いきます →　　　　　　　　）、ひだりに まがって ください。

6

→p153

## ちず（p54）を つかって、ペアで 話(はな)しましょう。

すみません、たいしかん に 行(い)きたいんですが…。

たいしかん ？
あそこに しろくて 大(おお)きい たてもの が 見(み)えますね。

はい。

たいしかん は あれです。まっすぐ 行(い)って、すぐです よ。

どうも ありがとうございます。

● あなたの まちには どんな たてものが ありますか。 どうやって 行(い)きますか。

# いろいろな まちなみ

## Many Kinds of Townscapes

**いろいろな まちの ふうけいを 見てみましょう。**

Take a look at the scenery in a variety of towns.

**1. 神田古本屋街**
Kanda Used Bookstore District

**2. アメ横**
Ameyoko (shopping district)

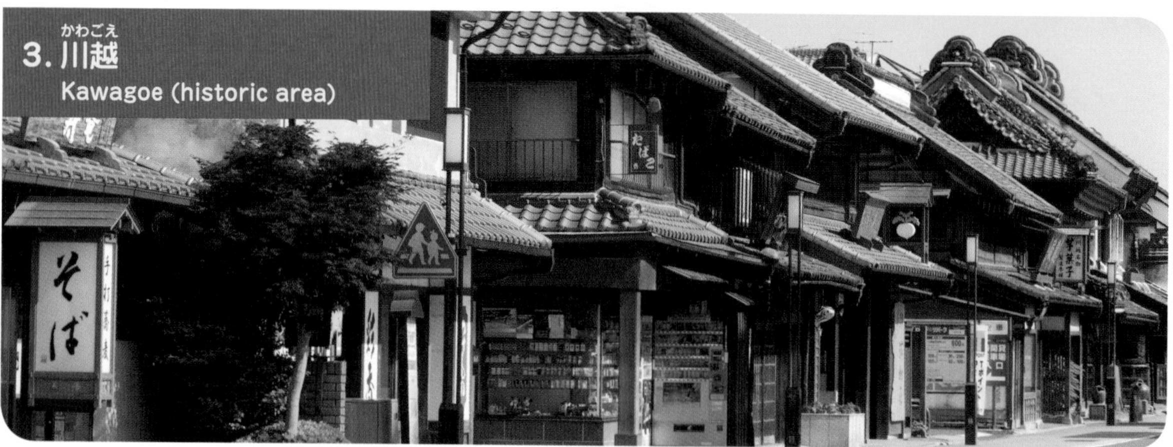


**3. 川越**
Kawagoe (historic area)

- **あなたの まちには どんな ふうけいが ありますか。**
  What does your town look like?
- **あなたの まちで あなたが すきな ところは どこですか。どうしてですか。**
  What places do you like in your town, and why?

# でかける

## だい 7 か　10時(じ)でも いいですか

15. ともだちと まちあわせの じかんと ばしょについて 話します
    Talk with a friend about the time and place you will meet
16. まちあわせに おくれると いう　Eメールを 読みます
    Read an E-mail from a friend saying he / she will be late
17. おくれた りゆうを 言って あやまります
    Apologise for being late and give a reason

## だい 8 か　もう やけいを 見(み)に 行(い)きましたか

18. おすすめの ばしょに ともだちを さそいます／さそいに こたえます
    Invite a friend to visit a place of your recommendation / Respond to an invitation
19. ともだちに よりみちを したいと 言います
    Say that you would like to drop by somewhere

4

# だい7か　10時でも いいですか

## 1 まちあわせ

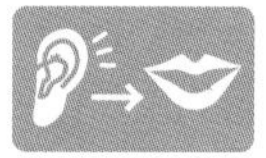

(1) なんじに 会いますか。

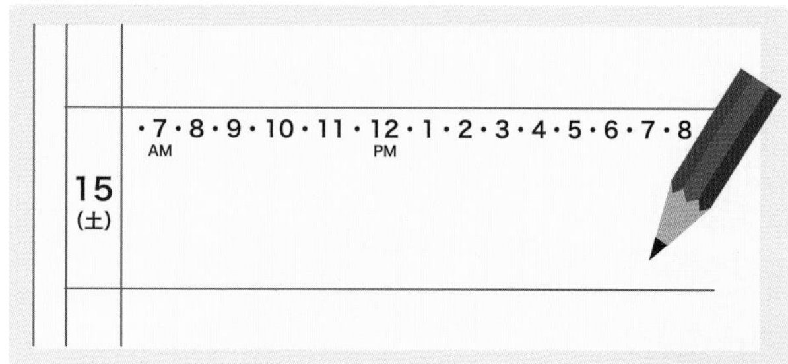

まちあわせを します

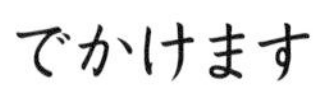

でかけます

行きます

おくれます

まちます

来ます

（2）どこで 会(あ)いますか。

a ホテルの ロビー

b デパートの いりぐち

c えきの まえ

d コーヒーショップ

● あなたは どんな ばしょで ともだちと まちあわせを しますか。

## ② 10時(じ)に、ホテルの ロビーは どうですか

タイラーさんは 土(ど)よう日(び)と 日(にち)よう日(び)に ともだちと でかけます。

（1）なんじに 会(あ)いますか。　（2）どこで 会(あ)いますか。（p63 a-d）

タイラーさん

| | 1 あべさん | 2 よしださん | 3 さとうさん | 4 きやまさん |
|---|---|---|---|---|
| （1） | 日(にち)よう日(び) | 日(にち)よう日(び) | 土(ど)よう日(び) | 土(ど)よう日(び) |
| | 10：00 | | | |
| （2） | a ホテルの ロビー | | | |

7

## 2 ルールを はっけんしましょう。

まちあわせの じかんは 10時でも いいですか。

- まちあわせの ばしょは ホテルの ロビーでも いいですか。
- じかんは 5時（　　　　　　）いいですか。
- ばしょは コーヒーショップでも（　　　　　　　　　　）。

## 3 Can-do 15 →p153 ともだちと いつ どこで あいますか。

日よう日、まちあわせは どうしますか。

そうですね。10時に、JFホテルの ロビーは どうですか。

10時に、JFホテルの ロビーですね。
わかりました。

じゃあ、また 日よう日に。

じゃあ、また。

あのう、10時は ちょっと…。
11時でも いいですか。

ええ、いいですよ。
じゃあ、11時に、JFホテルで。

じゃあ、また。

たのしみです。

## ③ ちょっと おくれます

タイラーさんからの メールを 読(よ)みましょう。タイラーさんは どうして おくれますか。

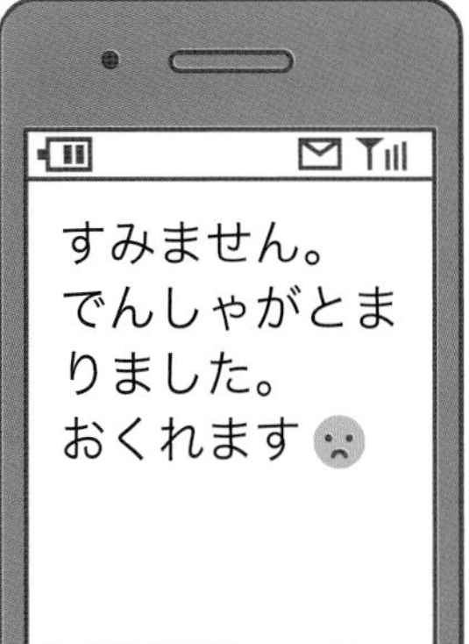

すみません。
でんしゃがとまりました。
おくれます


1 b

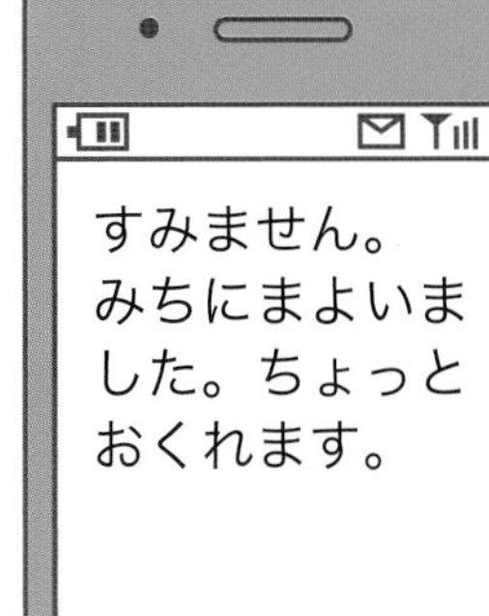

すみません。
みちにまよいました。ちょっとおくれます。


2

わかりました。
だいじょうぶです。
あべ


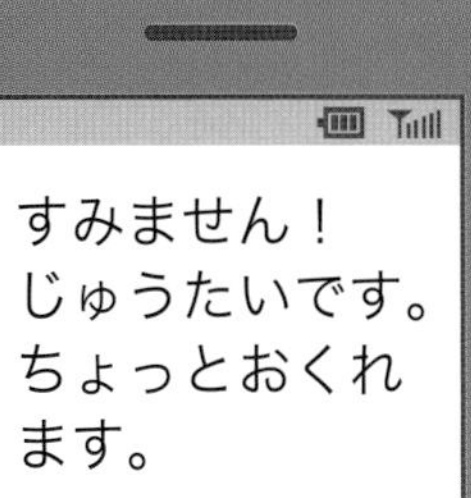

すみません！
じゅうたいです。
ちょっとおくれます。


3

じかんをまちがえました。
30分くらいおくれます。
すみません
m(_ _)m


4

## ④ みちに まよって…

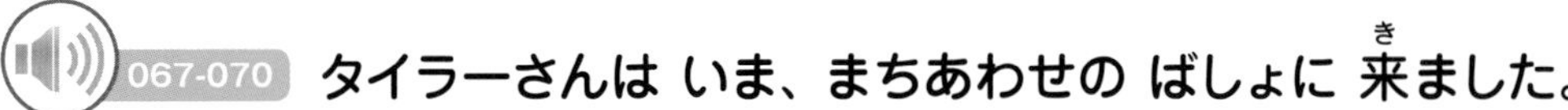

タイラーさんは いま、まちあわせの ばしょに 来(き)ました。

（1）タイラーさんは おくれましたか。（はい ○、いいえ ×）

（2）どうして おくれましたか。

| | 1 | 2 | 3 | 4 |
|---|---|---|---|---|
| （1） | ○ | | | |
| （2） | c | | | |

2 ルールを はっけんしましょう。

ちょっと みちに まよって、おくれました。

・じかんを まちがえて、おくれました。
・でんしゃが（とまります → 　　　　　　）、1じかんぐらい おくれました。
・ちょっと バスを（まちがえます → 　　　　　　）…。

・じゅうたいで おくれました。
・すごい あめ（　　）おくれました。

**V-て**

まちがえます → まちがえて
とまります → とまって
まよいます → まよって

→p154

**まちあわせの じかんに おくれました。ともだちに どう 言いますか。**

おそく なって、すみません。
ちょっと　みちに まよって…　。

だいじょうぶですよ。
じゃあ、行きましょう。

はい。

たいへんでしたね。

まちましたか。

わたしも いま
来ました。

7

# だい8か　もう やけいを 見に 行きましたか

## 1 おすすめの ばしょ

071 どこに 行きますか。

a びじゅつかん

ゆうめいな え

b はくぶつかん

れきし

e タワー

やけい

せかい一

c すいぞくかん

めずらしい 魚

d どうぶつえん

かわいい どうぶつ

g すいじょうバス（ふね）

ライトアップ

f やたい

おいしい ラーメン

● あなたは ともだちと どこに 行きますか。

## ② もう 行きましたか

1 タイラーさんと ともだちは いっしょに でかけます。

タイラーさん

（1）なんについて 話していますか。（p68 a-g）

（2）ふたりは 行きますか。（はい ○、いいえ ×）

・もう～ました
・まだです

| | 1 あべさん | 2 よしださん | 3 さとうさん | 4 きやまさん |
|---|---|---|---|---|
| （1） | a びじゅつかん | | | |
| （2） | ○ | | | |

2 ルールを はっけんしましょう。

（1）わたしは ともだちと タワーを 見に 行きます。

・あべさんは ラーメンを 食べに 行きます。
・わたしは てんぷらを（たべます → 　　　　いきます）。
・タイラーさんは おみやげを（かいます → 　　　　いきます）。

**V- ~~ます~~+に**

みます → みに
たべます → たべに
かいます → かいに

（2）びじゅつかんに 行きませんか。 ／ 行きましょう。

・A：タワーを 見に 行きませんか。
　B：いいですね。 行きましょう。

・A：すいじょうバスに（のります → 　　　　　　）。
　B：いいですね。（のります → 　　　　　　）。

・A：おすしを（たべに いきます → 　　　　　　　　）。
　B：いいですね。（いきます → 　　　　　　）。

**V- ~~ます~~+ませんか**

いきます → いきませんか
のります → のりませんか

3 Can-do 18 →p154 ともだちを さそいましょう。

もう タワーに 行(い)きました か。

はい、行(い)きました 。

そうですか。
じゃあ、どうぶつえん は？

いいえ、まだです。

じゃあ、見(み)に 行(い)きませんか。
よる、やけいが きれいです よ。

いいですね。
行(い)きましょう。

すみません。
タワー は ちょっと…。

## 3 ちょっと 水(みず)を 買(か)いたいんですが…

1 076-079 タイラーさんと あべさんは まちを あるいています。

（1）タイラーさんは なにを したいですか。（p71 a-d）

（2）ふたりは しょくじの まえに、行(い)きますか。しょくじの あとで、行(い)きますか。

| | 1 | 2 | 3 | 4 |
|---|---|---|---|---|
| （1） | a | | | |
| （2） | □ まえ／☑ あと | □ まえ／□ あと | □ まえ／□ あと | □ まえ／□ あと |

りょうがえ

##  ルールを はっけんしましょう。

あのう、ちょっと 水を 買いたいんですが…。

・すみません、ちょっと りょうがえしたいんですが…。

・あのう、ちょっと おみやげを
（かいます →　　　　　　　　　　　　　んですが…）。

・すみません、この みせに
（いきます →　　　　　　　　　　　　　んですが…）。

**V- ~~ます~~＋たい**

りょうがえします
→ りょうがえしたい
いきます → いきたい
かいます → かいたい

8

##  Can-do 19 →p154 あなたは なにを したいですか。ともだちに 言いましょう。

あのう、ちょっと 水を 買いたいんですが…。

じゃあ、しょくじの あとで 、みせ に 行きましょう。

すみません。

いいえ。

きょうは どうも ありがとうございました。
とても たのしかったです。

わたしも たのしかったです。
また いっしょに でかけましょう。

# まちあわせ

Meeting

**東京では よく えきや えきの ちかくで まちあわせを します。**

In Japan, people often meet in front of or inside train stations.

## 1. 渋谷(しぶや)えき「ハチこうまえ」

The statue of "Hachikoo", the dog in front of Shibuya station

## 2. 東京えき「ぎんの すず」

The Silver Bell in Tokyo station

● **あなたは どこで ともだちに 会(あ)いますか。どのぐらい まてますか。**

Where do you meet your friends? How long can you wait for your friends?

# がいこくごと がいこくぶんか

## だい9か 日本語は はつおんが かんたんです

20 いつ、なにごを べんきょうしたか 話します
Say what languages you have studied and when

21. いままでに べんきょうした がいこくごについて 話します
Talk about foreign languages you have studied

22. いつ、なにごを べんきょうしたか きろくを 書きます
Write down what languages you have studied and when

23. がいこくごや がいこくごの べんきょうについて こまった とき、
だれかに たのみます／たのまれて こたえます
Ask someone for help to understand or to learn a foreign
language / Respond to a request for help

## だい10か いつか 日本に 行きたいです

24. がいこくの ぶんかと じぶんとの かかわりについて 話します
Talk about your involvement in the culture of another country

25. こまっている ひとに たすけを もうしでます／もうしでを うけます
Offer help to someone with a problem / Accept an offer of help

26. イベントの プログラムを 読みます
Read the program of an event

5

# だい9か 日本語は はつおんが かんたんです

## 1 がいこくごの べんきょう

(1) いままでに どんな がいこくごを べんきょうしましたか。

a しょうがっこう

b ちゅうがっこう

c こうこう

d だいがく

| | | | |
|---|---|---|---|
| えいご<br>English | フランスご<br>Français | ドイツご<br>Deutsch | スペインご<br>Español |
| にほんご<br>日本語 | ちゅうごくご<br>中文 | かんこくご<br>한국어 | アラビアご<br>السلام عليكم |

(2) どうやって べんきょうしますか。

だいがくの とき、
ドイツごを
べんきょうしました。

話(はな)します

書(か)きます

聞(き)きます

読(よ)みます

はつおん

あいう
アイウ
月火水

もじ
・ひらがな
・カタカナ
・かんじ

れんしゅうします

ぶん

行きます
行く
行って

ぶんぽう

たんご

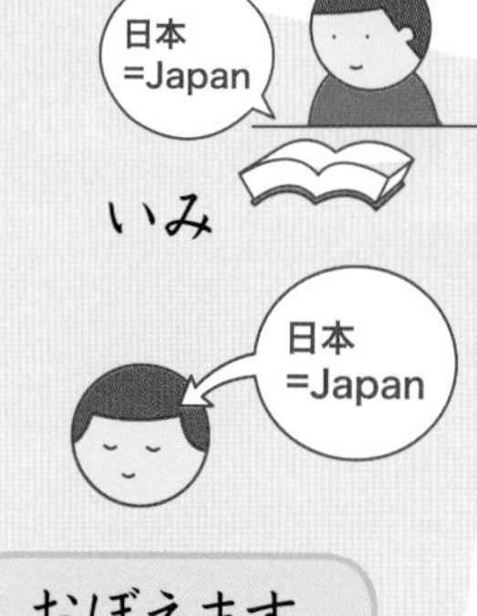

いみ

おぼえます

（3）日本語(にほんご)の べんきょうは どうですか。

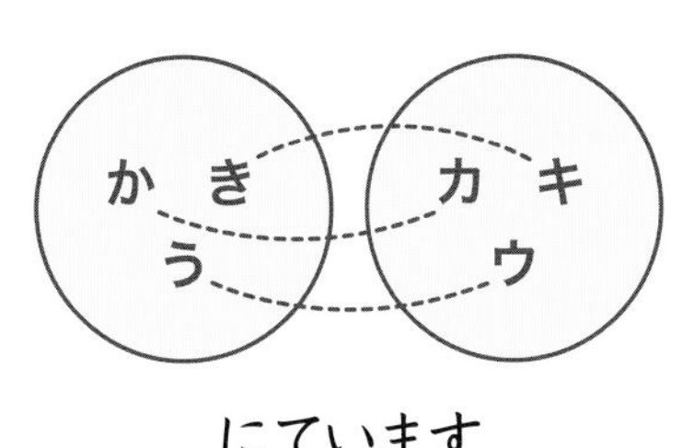


にています

e かんたんです

f おもしろいです

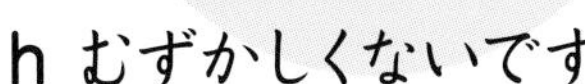

h むずかしくないです

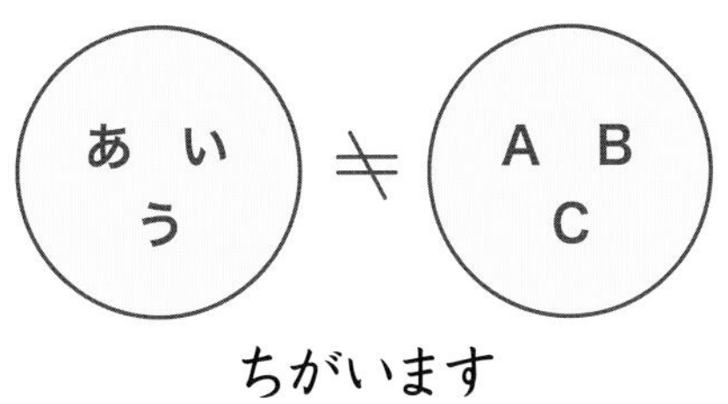


ちがいます

g むずかしいです

## 2 いままでに どんな がいこくごを べんきょうしましたか

4にんの はなしを 聞(き)きましょう。

（1）4 にんは いつ がいこくごを べんきょうしましたか。（p74 a-d）

（2）その がいこくごは どうですか。（p75 e-i）

| | 1 | 2 | 3 | 4 |
|---|---|---|---|---|
| |  カーラさん |  ケイトさん |  のださん |  フリオさん |
| | スペインご | ちゅうごくご | アラビアご | 日本語(にほんご) |
| （1） | c こうこう | | | いま |
| （2） | ・ぶんぽう<br>（ h むずかしく ないです ） | ・もじ<br>（　　　　）<br>・書(か)きます<br>（　　　　） | ・たんご<br>（　　　　）<br>・話(はな)します<br>（　　　　） | ・はつおん<br>（　　　　）<br>・読(よ)みます<br>（　　　　） |

## ルールを はっけんしましょう。

(1) 日本語(にほんご)は はつおんが かんたんです。

・スペインごは ぶんぽうが むずかしくないです。
・ちゅうごくごは もじ（　　）おもしろいです。
・アラビアご（　　）たんご（　　）たいへんです。

**V-るの**

おぼえます → おぼえるの
かきます → かくの
はなします → はなすの
よみます → よむの

(2) 日本語(にほんご)は 読(よ)むのが ちょっと たいへんです。

・ちゅうごくごは 書(か)くのが ちょっと むずかしいです。
・アラビアごは（はなします →　　　　　　）が おもしろいです。
・がいこくごは たんごを（おぼえます →　　　　　　）が たいへんです。

## がいこくごの べんきょうについて 話(はな)しましょう。

→p154

いままでに どんな がいこくごを べんきょうしましたか。

こうこう の とき、スペインご を べんきょうしました。

そうですか。
スペインご は どうですか。

スペインごは
ぶんぽうが かんたんです。

スペインごは 読(よ)むのが
ちょっと むずかしいです。

むずかしいですか

いまも できますか。

ええ、すこし できますよ。

いまは ちょっと…。

すごいですね。

## ③ わたしの がいこくごリスト

   がいこくごの べんきょうについて 書(か)きましょう。

| いつ | がいこくご |
|---|---|
| しょうがっこう | |
| | |
| | |
| | |
| | |
| | |
| | |
| | |
| | |
| 年　月　～いま | 日本語(にほんご) |

9

## ❹ その じしょ、かして くださいませんか

おとこのひとは ときどき 日本語(にほんご)が わかりません。

（1）おとこのひとは どんな ことを おねがいしましたか。

（2）おんなのひとは そう しましたか。（はい ○、いいえ ×）

| | 1 | 2 | 3 | 4 |
|---|---|---|---|---|
| （1） | a | | | |
| （2） | ○ | | | |

**V-て**

おしえます → おしえて
いいます → いって
かきます → かいて
かします → かして

2 ルールを はっけんしましょう。

（1）じしょを かして くださいませんか。

・もういちど 言(い)って くださいませんか。
・おもしろい サイトを（おしえます →　　　　　　くださいませんか）。
・ここに なまえを（かきます →　　　　　　くださいませんか）。

（2）かんじの 書きかた

・かんじを 書きます → かんじの 書きかた
・かんじの 書きかたを おしえて くださいませんか。
・でんしじしょの（つかいます →　　　　　　　）が わかりません。
・かんじ（　　）（よみます →　　　　　　）を おしえて くださいませんか。

**V- ~~ます~~＋かた**

かきます
　→ かきかた
つかいます
　→ つかいかた
よみます
　→ よみかた

→p155

**いま、日本語を べんきょうしています。ともだちに どんなことを たのみますか。**

あのう、ちょっと いいですか。

すみません。

どうぞ。

その じしょ 、
かして くださいませんか。

かんじの 読みかた を
おしえて くださいませんか。

いいですよ。

すみません。いま、ちょっと…。

よくわかりません。

# いつか 日本に 行きたいです

## 1 せいかつの なかの がいこくぶんか

091 どんな くに（ことばと ぶんか）に きょうみが ありますか。

a ～りょうりを 食べます

b ～の ダンスを ならいます

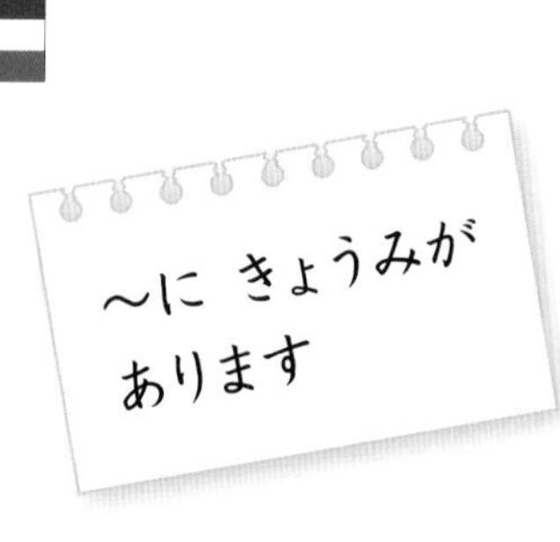

c ～の おんがくを 聞きます

d ～の ざっしを 読みます

e ～じんの ともだちと 話します

f ～ごを べんきょうします

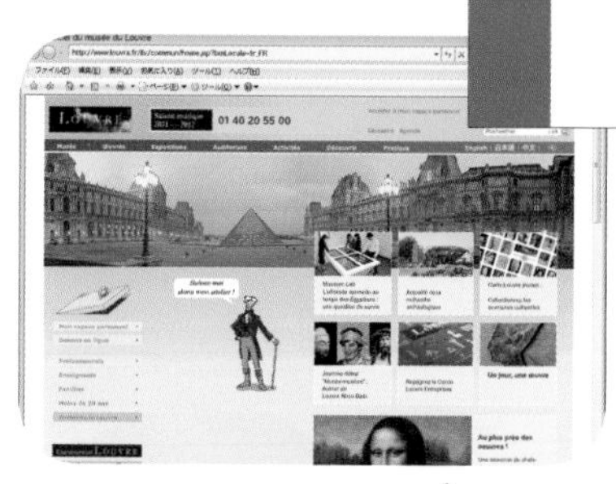

g ～の サイトを 見ます

h ～に りょこうに 行きます

i ～の ドラマを 見ます

j ～に りゅうがくします

k ～で はたらきます

l ～に しゅっちょうします

m きょうしに なります

n つうやくに なります

o ほんやく（します）



## ❷ つきに 2かいぐらい 日本りょうりを 食べます

  4にんの はなしを 聞きましょう。

（1）どんな くにに きょうみが ありますか。くにの なまえを 書きましょう。

（2）よく なにを しますか。（a-o）　　（3）なにを したいですか。（a-o）

| | 1 おがわさん | 2 かわいさん | 3 きやまさん | 4 ムハンマドさん |
|---|---|---|---|---|
| （1） | かんこく | | | |
| （2） | i ドラマを 見ます | e ともだちと 話します | | |
| | c おんがくを 聞きます | | f フランスごを べんきょうします | a りょうりを 食べます |
| （3） | h りょこうに 行きます | | | |

## 2 ルールを はっけんしましょう。

**V- ~~ます~~+たい**

みます → みたい
いきます → いきたい
なります → なりたい
はたらきます → はたらきたい

(1) いつか 日本に <u>行(い)きたいです</u>。

・しょうらい 日本語(にほんご)の つうやくに <u>なりたいです</u>。
・しょうらい 日本の かいしゃで
　(はたらきます →　　　　　　　です)。
・いつか 日本で かぶきを (みます →　　　　　　　です)。

(2) しゅう／つき／年(ねん)に ～かい

**1 の 2-4 を もういちど 聞(き)いて えらびましょう。**

・かわいさんは (　　　　) 1かいぐらい タイに りょこうに 行(い)きます。
・きやまさんは (　　　　) 1かい フランスごを べんきょうしています。
・ムハンマドさんは (　　　　) 2かいぐらい 日本りょうりを 食(た)べます。

| a しゅうに | b つきに | c 年(ねん)に |
|---|---|---|

## 3 →p155 あなたと がいこくの ことばや ぶんかについて 話(はな)しましょう。

**あなたは なにを していますか。なにを したいですか。**

どんな くにに きょうみが ありますか。

・日本 です。
・わたしは しゅうに 1かい 日本語(にほんご)を べんきょうして(い)ます。
・日本人(にほんじん)の ともだちと ときどき 日本語(にほんご)で 話(はな)します。
・しょうらい 日本に りゅうがくしたいです。

そうですか。

日本語(にほんご)の べんきょう は どうですか。

わたしも 日本に 行(い)きたいです。

## ③ いっしょに 行[い]きましょうか

アリさんは こくさいこうりゅうまつりに 行[い]きます。

でも、いま、こまっています。どうしてですか。

1 a　2 ＿　3 ＿　4 ＿

ルールを はっけんしましょう。

いっしょに えきに 行[い]きましょうか。

・きっぷを 買[か]うのを てつだいましょうか。
・かわりに でんわで（はなします →　　　　　　）。
・かわりに きっぷを（かいます →　　　　　　）。
・ちょっと ちずを（みます →　　　　　　）。

**V- ~~ます~~＋ましょうか**

いきます → いきましょうか
かいます → かいましょうか
てつだいます → てつだいましょうか
はなします → はなしましょうか
みます → みましょうか

→p155

まちで こまっている ひとが います。 あなたは どうしますか。

だいじょうぶですか。

だいじょうぶです。

どうしたんですか。

えき に 行きたいんですが…。

みち が よく わかりません。

いっしょに 行きましょうか。

すみません。ありがとうございます。

## ❹ マレーシアりょうりは どこですか

  アリさんは こくさいこうりゅうまつりに 来ました。

(1) マレーシアりょうりは どこですか。(　　　)

(2) タイの ダンスは なんじからですか。(　　　　　)

YOOKOSO!

1 韓国料理 (チヂミ)
2 ロシア料理 (ピロシキ)
3 メキシコ料理 (タコス)
4 ドイツ料理 (ソーセージ)
5 マレーシア料理 (ムルタバ)
6 スペイン民芸品＊ (ししゅう＊)
7 日本民芸品 (こけし)
8 フィリピン民芸品 (アクセサリー)

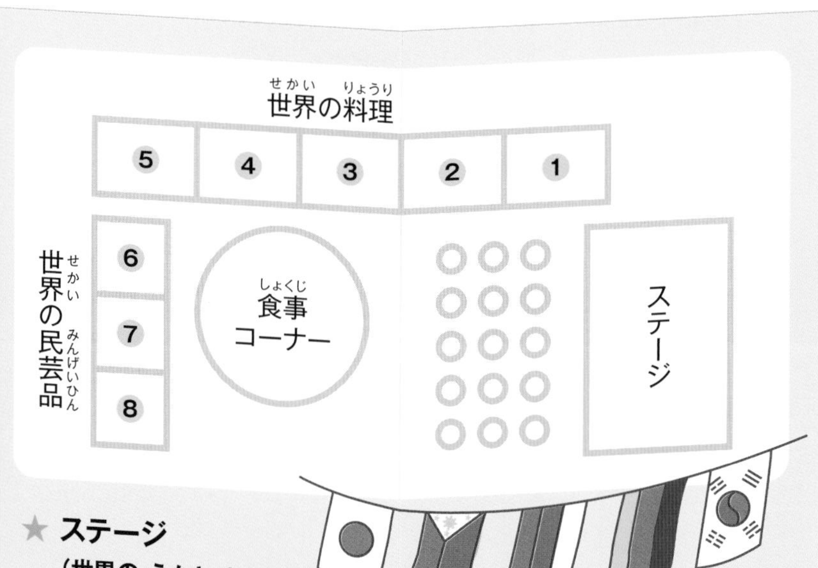

＊みんげいひん folkcraft　＊ししゅう embroidery

# がいこくぶんかを たのしむ

## Enjoying the cultures of other countries

**なにを していますか。**

**これは どんな くにの ぶんかに かんけいが ありますか。**

What are they doing? What country's culture does it come from?

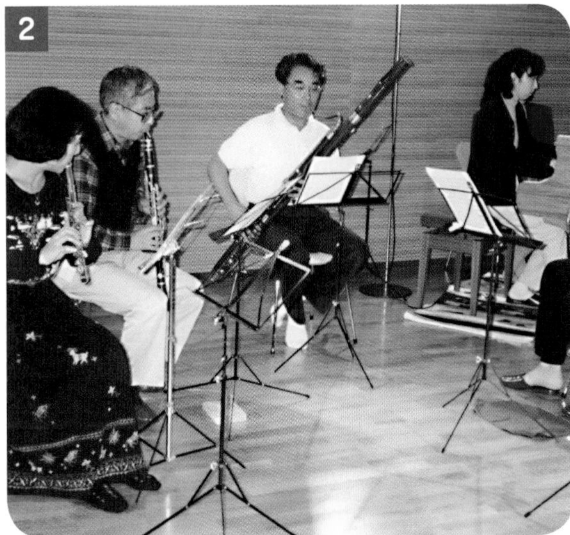

● **あなたの くに・まちでは、どんな くにの ことばや ぶんかに ふれることが できますか。**

**What countries' languages and cultures have you experienced in your town or country?**

1. たいきょくけん（中国）<tai chi (China)>　2. クラシックおんがく（ヨーロッパ）<classical music (Europe)>　3. フラダンス（ハワイ、アメリカ）<hula (Hawaii, USA)>　4. インドりょうり（インド）<Indian cooking (India)>

# テストとふりかえり 1（トピック 1-5） Test and Reflection 1 (Topics 1-5)

この じかんでは つぎの 4つの ことを します。 3 と 4 は なにごで 話しても いいです。

In Test and Reflection1 you will do these four things. You can speak in any language for 3 and 4

れい：120 分のばあい　Example: with a class length of 120 minutes

| 15 分 | 80 分 | 25 分 |
|---|---|---|
| 1<br>Can-do チェック<br>'Can-do Check' | 2<br>ひとりずつ テストを うけます<br>Take the test one person at a time<br><br>3<br>テストの あいだに グループで 話します<br>Speak in groups while waiting to take your test | 4<br>クラスで 話します<br>Speak as a class |

## 1 Can-do チェック　'Can-do Check'

Can-do チェック（p178-181）を 見なおしましょう。

もういちど やってみたい Can-do を えらんで ペアで れんしゅうしましょう。

あなたに とって たいせつな Can-do を えらびましょう。

Look again at the 'Can-do Check' on page 178-181. Choose the Can-do statements you want to try again and practise in pairs. Choose the Can-do statements that are important to you.

## 2 テスト　Test

**ひとりずつ** せんせいの ところに 行って テストを うけます。テストは ひとり 5 分です。

Take the test one person at a time. The test takes 5 minutes per person.

### （1）もじテスト　Japanese character test

たとえば つぎの ような ぶんを 読みます。ことばを 80 パーセント 読めたら ごうかくです。

For example, you will read sentences like the following. If you can read 80 percent of the words, you will pass.

れい　Example

しゅみは クラシックを 聞（き）くことです。

9月（がつ） ごろ すずしく なります。

1（ひと）つめじゃなくて、2（ふた）つめです。

いつか 日本に 行（い）きたいです。

### （２）かいわテスト　Conversation test

・せんせいの しつもんを 聞いて、かいわを して ください。

Listen to the question from your teacher, and have a conversation.

れい　Example

「いままでに どんな がいこくごを べんきょうしましたか。」

'What foreign languages have you studied before?'

・カードを 読んで、せんせいと かいわを して ください。

Read the card and have a conversation with your teacher.

れい　Example

> 日本の ともだちが あなたの まちに 来ました。いま、ホテルに とまっています。日よう日に、まちを あんないします。なんじに どこで あいますか。そうだん して ください。
>
> A Japanese friend is visiting your town and is currently staying at a hotel. You're going to show him/her around on Sunday. Discuss when and where you will meet.

**かいわテストでは** べんきょうした ことばを できるだけ たくさん つかいましょう。
しつもんが わからない ときは もう いちど 聞きましょう。

In the conversation test, try to use the Japanese you have learned as much as possible. You can ask the teacher to repeat the question if you don't understand.

**〈かいわテストの ひょうか〉** Evaluating your performance

| | |
|---|---|
| もっと すごい<br>Magnificent ! | みじかな ことについて はっきりした 話しかたで しつもんされたら、<br><u>すぐに ぜんぶ</u> こたえることが できます。<br><u>２つ いじょうの ぶん</u>を つづけて たくさん 話すことが できます。<br>You were able to <u>immediately</u> answer <u>all</u> questions about a familiar topic, provided the other person spoke clearly.<br>You were able to speak using <u>two or more</u> sentences in a row. |
| ごうかく<br>Well done ! | みじかな ことについて はっきりした 話しかたで しつもんされたら、<br><u>ほとんど</u> こたえることが できます。<br>You were able to answer <u>most</u> questions about a familiar topic, provided the other person spoke clearly. |
| もう すこし<br>Getting there ! | みじかな ことについて はっきりした 話しかたで <u>とても ゆっくり</u> しつもんされたら、<br><u>すこし</u> こたえることが できます。<br>You were able to <u>partially</u> answer questions about a familiar topic, provided the other person spoke <u>clearly and slowly</u>. |

## 3 グループで 話しましょう。　Speak in groups.

テストの あいだに ４にんぐらいの 小さい グループに なって①と②を 見せて 話しましょう。

While waiting to take your test, make small groups of about four people, show ① and ② below and talk about them.

①日本語・日本ぶんかの たいけんきろく

Records of your experiences of Japanese language and culture

②じぶんで 書いた もの

・だい２か ❸ ③ ウェブサイトの じこしょうかいへの コメント

・だい９か ❸ がいこくごがくしゅうの きろく

Things you wrote in lesson 2: comments about someone's self introduction on a website, and lesson 9: record of foreign language learning.

## 4 グループで 話しあった ことを ほかの ひとにも 話しましょう。

Share the things you talked about in groups with other people.

# そとで 食べる

## だい11か　なにを もっていきますか

27. ピクニックに もっていく ものについて 話します
    Discuss what to take for a picnic
28. ピクニックに だれが なにを もっていくか メモを 書きます
    Write a memo to say who is taking what for a picnic
29. ピクニックの 食べものや 飲みものの きぼうを ぐたいてきに 聞きます／言います
    Ask / Say what specific food or drinks your friend / you would prefer for a picnic

## だい12か　おいしそうですね

30. よく しらない 食べものについて 話します
    Talk about food you don't know much about
31. あじについて かんたんに コメントします
    Comment briefly on the taste of food
32. ともだちに 食べものを すすめます／すすめに こたえます
    Offer a dish to your friends / Respond to an offer

# だい11か　なにを もっていきますか

## 1 ピクニックの おべんとう

100 ピクニックを します。

～を もっていきます

o 飲(の)みもの

p ジュース

q おちゃ

r おさけ

s ビール

t ワイン

u にほんしゅ

ほかの もの

シート

コップ

ごみぶくろ

はし

さら

● あなたは ピクニックを しますか。なにを もっていきますか。

## ❷ 食(た)べものは どうしますか

4にんは ピクニックの そうだんを します。だれが なにを もっていきますか。（p90-91 a-u）

あべさん　カーラさん　パクさん　やぎさん

… ピクニックの メモ …

| | | |
|---|---|---|
| 1 あべさん | b おにぎり | k ケーキ |
| 2 カーラさん | | |
| 3 やぎさん | | |
| 4 パクさん | | |

ルールを はっけんしましょう。

**V-て**

かいます → かって
つくります → つくって
もちます → もって

わたしは おにぎりを <u>もっていきます</u>。

・やぎさんは みせで サンドイッチを <u>買(か)っていきます</u>。
・わたしは サンドイッチを（つくります →　　　　いきます）。
・ワインと くだものを（もちます →　　　　いきます）。

→p155 ピクニックに だれが なにを もっていきますか。

3-4 にんの グループで 話(はな)しましょう。 メモも 書(か)きましょう。

らいしゅうの ピクニック、食(た)べもの は どうしますか。

わたしは サンドイッチ 、もっていきます。

Aさん は サンドイッチ ですね。
おねがいします。

じゃあ、わたしは サラダ 、もっていきます。

Bさん は サラダですね。
おねがいします。

くだもの も
もっていきます。

**… ピクニックの メモ …**

| | |
|---|---|
| | |
| | |
| | |
| | |
| | |
| | |
| | |

## ③ 飲(の)みものは なにが いいですか

ピクニックに どんな 食(た)べものと 飲(の)みものを もっていきますか。

おちゃ に します。

1
a
b
お茶
c
BEER
BEER

2
a
b
c

パクさん　あべさん　やぎさん　カーラさん

3
a
b

4
a
White Wine
b
Red Wine

1 b　2 　3 　4 

## 2 ルールを はっけんしましょう。

なんでも いいです。

どっちでも いいです。

A：飲(の)みものは なにが いいですか。
B：おちゃが いいです。

・A：ケーキは、チョコレートと りんご、どっちが いいですか。
　B：チョコレートの ケーキが いいです。

・A：くだものは（　　　　　）が いいですか。
　B：りんごが いいです。

・A：ワインは あか（　　　）しろ、（　　　　）が いいですか。
　B：あかが いいです。

## 3 ピクニックに どんな 食べものや 飲みものを もっていきますか。

Can-do 29 →p156

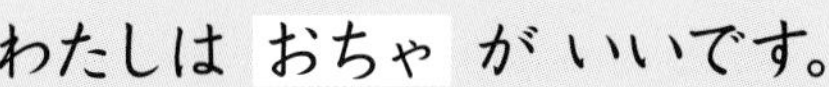

飲(の)みもの は なにが いいですか。

わたしは おちゃ が いいです。

わたしは なんでも いいです。

じゃあ、おちゃ に します（ね）。

はい、おねがいします。

ほかに なにを もっていきますか。

シートは？

コップは？

だい12か　おいしそうですね

## 1 食(た)べものと あじ

(1) 109　(2) 110

(1) どんな あじですか。

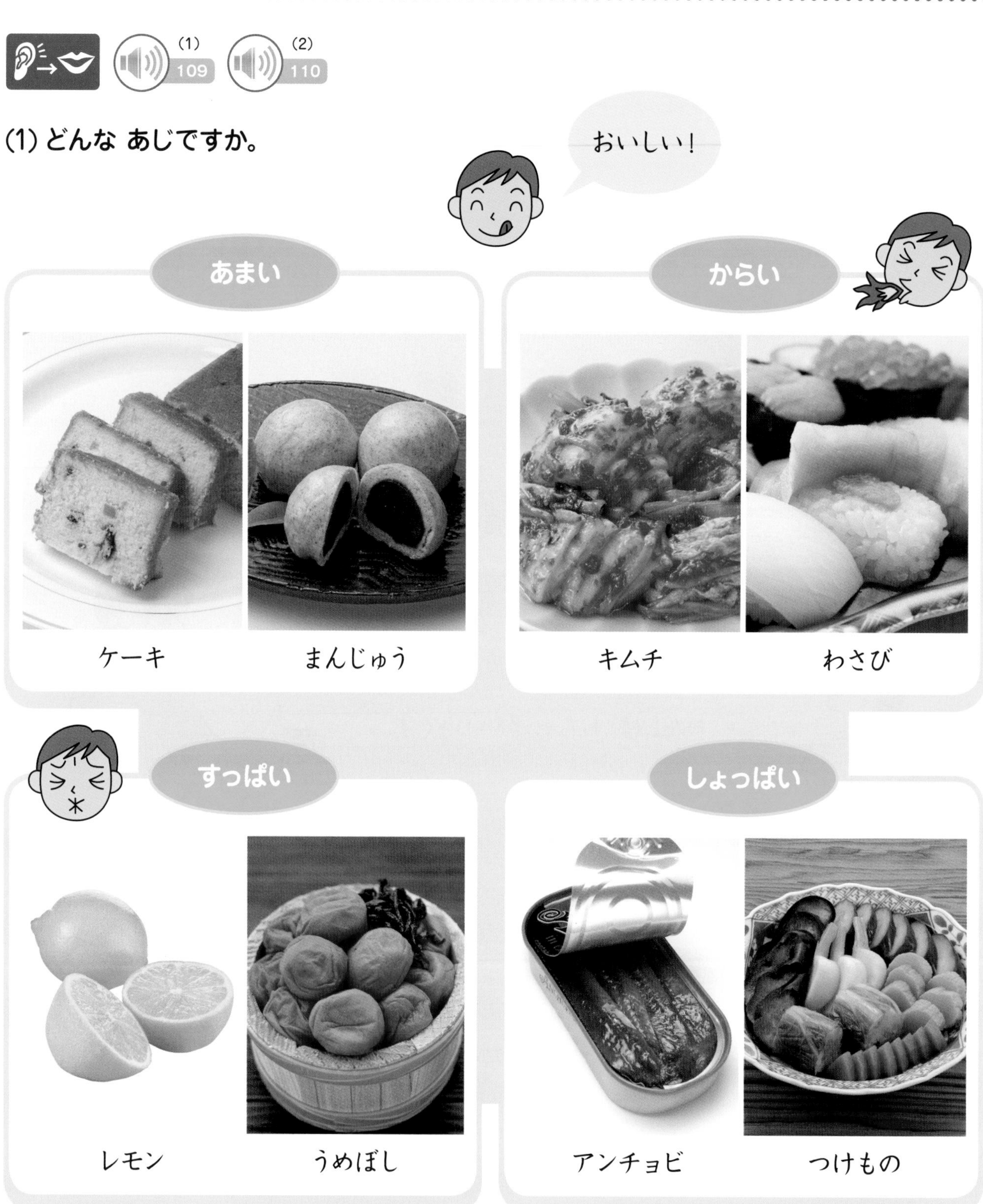


● あなたの くにで あまい もの、からい もの、すっぱい もの、しょっぱい ものは なんですか。

(2) なにが はいっていますか。

● なんの サンドイッチが すきですか。

## ② おいしそうですね！

1 111-114 みんなで おべんとうを 食(た)べます。めずらしい 食(た)べものが あります。

（1）その 食(た)べものは なにと にていますか。（p99 a-d）

（2）あじは にていますか、ちがいますか。（にています ○、ちがいます ×）

a
えびせんべい

b
おすし

c
カレー

d
ピクルス

##  ルールを はっけんしましょう。

その キンパは おいしそうです。

・その スープは ちょっと からそうです。
・その ケーキは（あまい →　　　　　　です）。
・その 食べものは ちょっと（すっぱい →　　　　　　　　です）。

**イA ~~い~~ + そう**

あまい → あまそう
おいしい → おいしそう
からい → からそう
すっぱい → すっぱそう



##    いろいろな 食べものを 見て、話しましょう。

→p156

それ、なんですか。おいしそうですね。

日本の おすし です。

おすし ですか。

あじは ちょっと ちがいますよ。

かんこくの キンパ と にてますね。

あじも にてますよ。

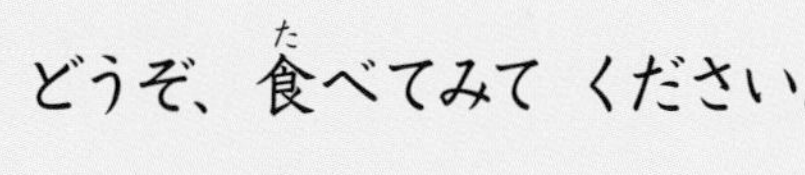

どうぞ、食べてみて ください。

じゃあ、1つ いただきます。

## ③ もう すこし どうですか

1  みんなで おべんとうを 食べています。

（1）どんな あじですか。

a あまい　　b からい　　c すっぱい

（2）ともだちは もう すこし 食べましたか／飲みましたか。（はい ○、いいえ ×）

1

ヤンさん

| (1) | a あまい |
|---|---|
| (2) | ○ |

やぎさん

| (1) | |
|---|---|
| (2) | |

カーラさん

| (1) | |
|---|---|
| (2) | |

あべさん

| (1) | |
|---|---|
| (2) | |

 ルールを はっけんしましょう。

**イA-くて**

あまい → あまくて
からい → からくて
すっぱい → すっぱくて

この ケーキは あまくて、おいしいです。

・この サラダは ちょっと すっぱくて、おいしいです。
・この キムチは（からい →　　　　　　）、おいしいです。
・その ワインは ちょっと（あまい →　　　　　　）、おいしいです。

→p156

**ともだちに 食(た)べものを すすめましょう。食(た)べて コメントを 言(い)いましょう。**

やぎさん 、よかったら サラダ 、どうぞ。

はい、いただきます。
この サラダ 、ちょっと からくて、おいしいです ね。

そうですか。もう すこし どうですか。

ありがとうございます。
でも、もう おなかが いっぱいです。

もう けっこうです。

そうですか。

じゃあ、もう すこし
いただきます。

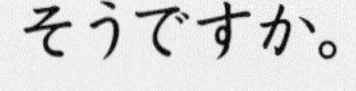

119
よく 聞(き)きましょう。
も¬う（おなかが）いっぱい⁻
（おちゃを）もう⁻ い¬っぱい


12

# おべんとう

## Lunch boxes

**日本では いろいろな とき、おべんとうを 食べます。**

**In Japan, people eat lunch boxes on many occassions.**

1

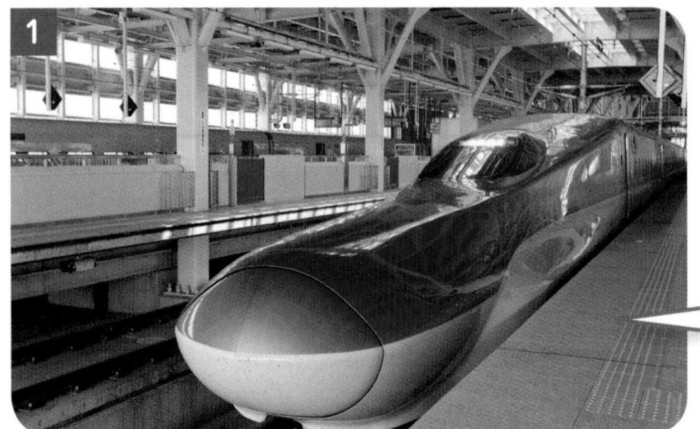

2

3

● **あなたの くにでは おべんとうを 食べる しゅうかんが ありますか。どんな おべんとうですか。**

**Do you eat lunch boxes in your country? What are they like?**

1. えきべん <lunch boxes sold at a train station>　2. コンビニべんとう <convenience store lunch box>　3. キャラべん <character-themed lunch box>

# しゅっちょう

## だい13か　たなかさんに 会[あ]ったことが あります

33. でむかえの ために、しゅっちょうで 来る ひとや 来る 日について 話します
    Talk about someone visiting your office on a business trip and the date of his/her visit
34. でむかえの あいさつを します
    Greet a visitor arriving at the airport
35. ホテルの へやを チェックして、だいじょうぶか 言います
    Check the hotel room and tell your visitor if it is OK
36. しゅっちょうの スケジュールを 読みます
    Read a business trip schedule

---

## だい14か　これ、つかっても いいですか

37. かいしゃの スタッフを しょうかいします
    Introduce your colleagues to a visitor
38. オフィスの ものを つかっても いいか 聞きます
    Ask to use things in the office
39. みおくりの あいさつを します
    See a visitor off at the airport with some parting phrases
40. かいがいしゅっちょうから かえる ときに もらった、オフィスの ひとからの メッセージを 読みます
    Read a message from a colleague in the overseas office when you return home from a business trip

7

# だい13か　たなかさんに 会(あ)ったことが あります

## 1 くうこう

  120 しゅっちょうの ひとが 来(き)ます。

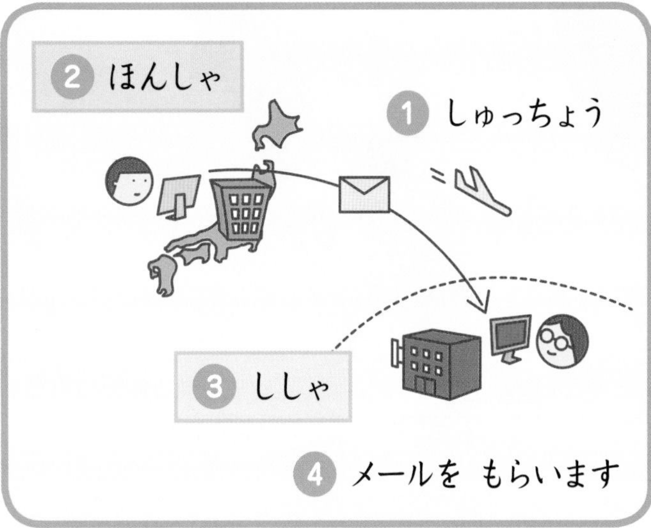


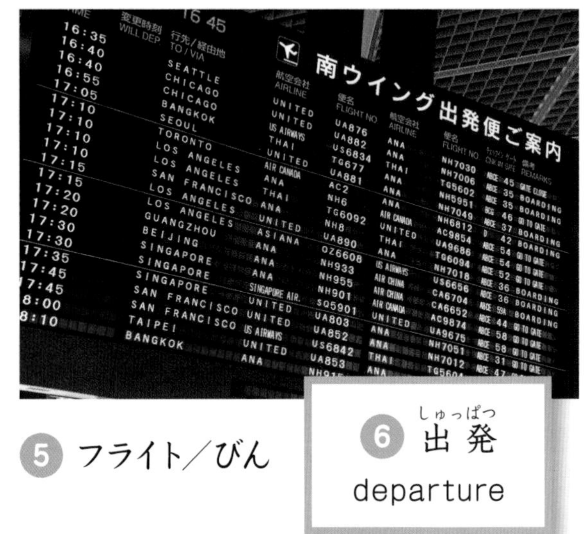


5 フライト／びん

6 出発(しゅっぱつ)
departure

7 到着(とうちゃく)
arrival

## ② むかえに 行って ください

かいしゃで しゅっちょうの スケジュールについて 話します。

（1） タイラーさんは 4にんの ひとに 会った ことが ありますか。
（あります ○、ありません ×）

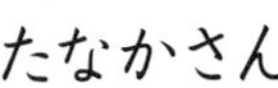

なかむらさん

1 ○　　2

いしかわさん　　さいとうさん

3　　4

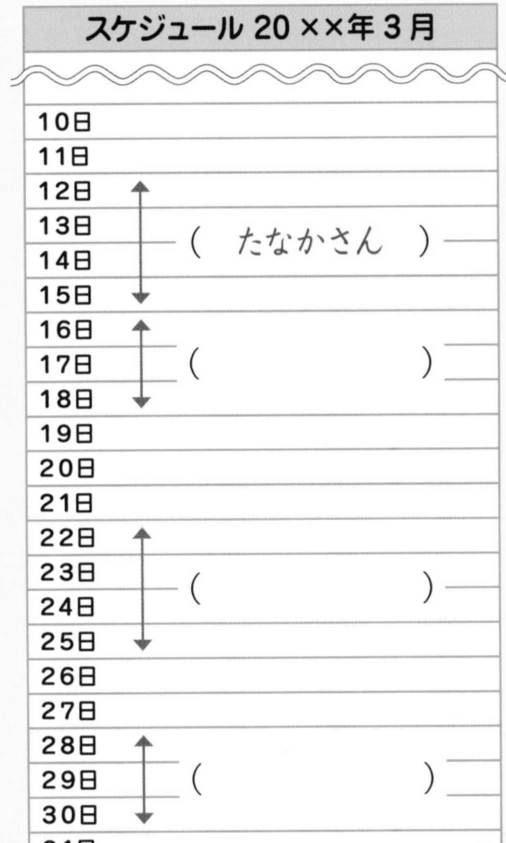

| スケジュール 20××年 3月 | |
|---|---|
| 10日 | |
| 11日 | |
| 12日 | ↑ |
| 13日 | （ たなかさん ） |
| 14日 | |
| 15日 | ↓ |
| 16日 | ↑ |
| 17日 | （　　　） |
| 18日 | ↓ |
| 19日 | |
| 20日 | |
| 21日 | |
| 22日 | ↑ |
| 23日 | （　　　） |
| 24日 | |
| 25日 | ↓ |
| 26日 | |
| 27日 | |
| 28日 | ↑ |
| 29日 | （　　　） |
| 30日 | ↓ |
| 31日 | |

（2） 4にんは いつ 来ますか。スケジュールの（　　）に なまえを 書きましょう。

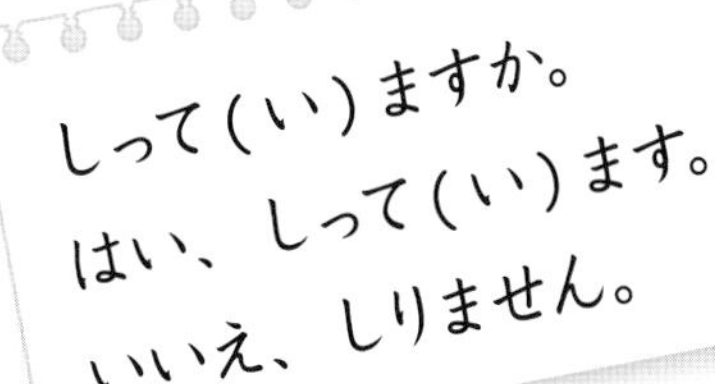

しって(い)ますか。
はい、しって(い)ます。
いいえ、しりません。


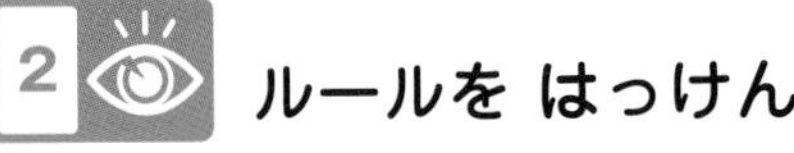

ルールを はっけんしましょう。

たなかさんに 会ったことが あります。

あいます → あったこと
いきます → いったこと
はなします → はなしたこと
もらいます → もらったこと

・メールを もらったことが あります。
・日本に（いきます →　　　　　　　が あります）。
・でんわで（はなします →　　　　　　　が あります）。

  →p157 しゅっちょうの スケジュール（p105）を 見て 話しましょう。

タイラーさん 、 たなかさん（を）、しってますか。

はい、しってます。

はい。会ったこと、あります。

いいえ。会ったこと、ありません。

たなかさん が 12日 に 来ます。
くうこうに むかえに 行って ください。

はい、わかりました。12日 ですね。

## ③ ようこそ、たなかさん

  タイラーさんは くうこうに 4にんの ひとを むかえに 来ました。
フライトは どうでしたか。

1 a　2 □　3 □　4 □

a

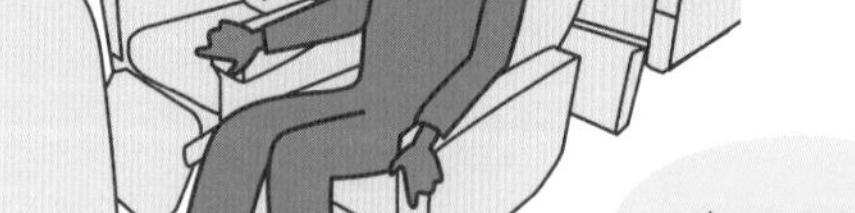



c

b

d

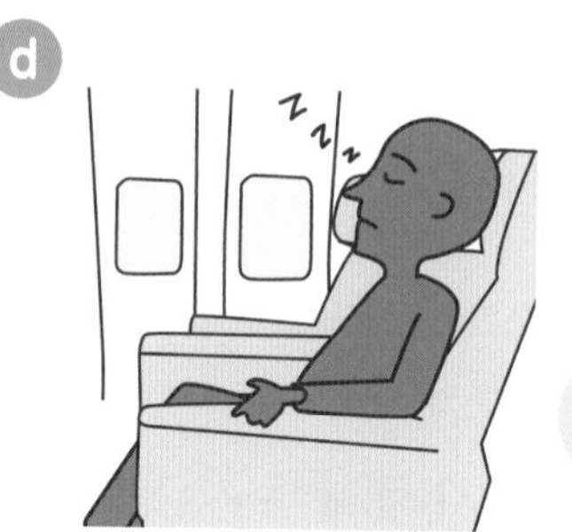

## くうこうで しゅっちょうの ひとを でむかえましょう。

→p157

たなかさん 、こっちです。

ようこそ、たなかさん。

おまたせしました。
でむかえ、ありがとうございます。

おつかれさまでした。

フライトは いかがでしたか。

フライトは どうでしたか。

かいてきでしたよ。

まあまあでした。

ちょっと
つかれました。

すいてました。

そうですか。

## 4 あした 9時半(じはん)に むかえに 来(き)ます

タイラーさんは たなかさんを ホテルに あんないします。

タイラーさんは へやで なにを チェックしていますか。

1 d　2 ＿　3 ＿　4 ＿

a

でんき

b
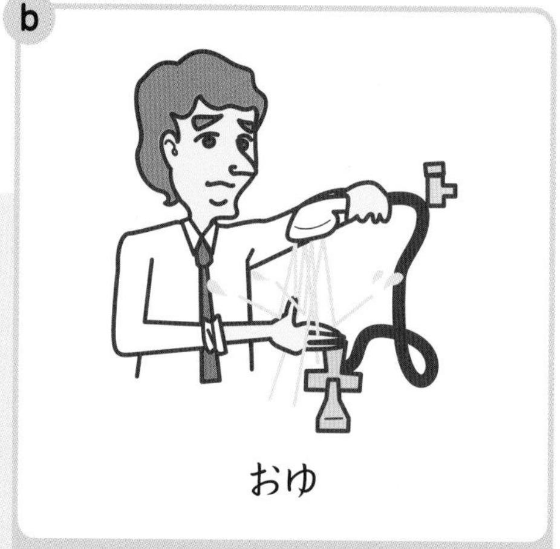
おゆ

c

でんわ

d

かぎ

→p157 ホテルの へやを チェックします。

ちょっと でんき 、チェックします。

あ、すみません。

でんき は だいじょうぶです。

そうですか。どうも ありがとう。

（1）タイラーさんは 13日の なんじに たなかさんを ホテルに むかえに 行きますか。
（　　　　　　）

（2）かいぎは なんにちですか。（　　　　　　）（　　　　　　）

会議（かいぎ）
meeting

（3）たなかさんは いつ 日本に かえりますか。（　　　　　　）

| スケジュール：田中新一様（ABC ホテル 302号）<br>（Mr. Shinichi Tanaka） | | |
|---|---|---|
| 3月12日（日） | 21：00 | 空港（JF 022） |
| | 22：30 | ホテル到着 |
| 3月13日（月） | 9：30 | ホテル出発 |
| | 10：00 | オフィス到着 |
| | 10：00～12：00 | 会議 |
| | 14：00～16：00 | 第一工場 |
| 3月14日（火） | 9：00 | ホテル出発 |
| | 10：30～12：00 | ABC モーターズ |
| | 14：00 | オフィス到着 |
| | 14：30～16：30 | 会議 |
| | 19：00～ | レストラン「わさび」 |
| 3月15日（水） | 10：00 | ホテル出発 |
| | 11：00 | 空港（JF 021） |
| 電話番号 | ・オフィス　+××-20-7436-××××<br>・タイラー　080−8888−××××<br>・ドライバー　090−5454−×××× | |

だい14か

# これ、つかっても いいですか

## 1 オフィスと スタッフ

133 オフィスに どんな ひとが いますか。 なにが ありますか。

1 しゃちょう
2 ひしょ
3 ドライバー
4 うけつけ
5 じむの スタッフ
6 コンピューター、パソコン
7 ファックス
8 コピーき
9 かります
10 つかいます
11 コピーします
12 プリントアウトします
13 こくさいでんわ（を） します

● あなたの オフィスは どうですか。

## ② こちらは ひしょの キャシーさんです

134-137 タイラーさんが たなかさんに スタッフを しょうかいしています。

| | 1 | 2 | 3 | 4 |
|---|---|---|---|---|
| | キャシーさん | エドワードさん | ナターリヤさん | ハリードさん |
| (1) | a ひしょ | | | |
| (2) | ○ | | | |

(1) しごとは なんですか。

a ひしょ　b じむの スタッフ　c しゃちょう　d ドライバー　e うけつけ

(2) 日本語(にほんご)が できますか。(できます ○、できません ×)

14

Can-do 37 →p157 ともだちや スタッフを しょうかいしましょう。

こちらは ひしょの キャシーさん です。

たなかです。どうぞ よろしく。

こちらこそ、どうぞ よろしく。

キャシーさん は 日本語(にほんご)、ぺらぺらです。

すこし できます。

そうですか。

## 3 かりても いいですか

たなかさんは オフィスの ひとに おねがいしています。

（1）たなかさんは オフィスで いま なにを つかいたいですか。

（2）できますか、できませんか。（できます ○、できません ×）

じぶんで します

| | 1 | 2 | 3 | 4 |
|---|---|---|---|---|
| （1） | a | | | |
| （2） | ○ | | | |

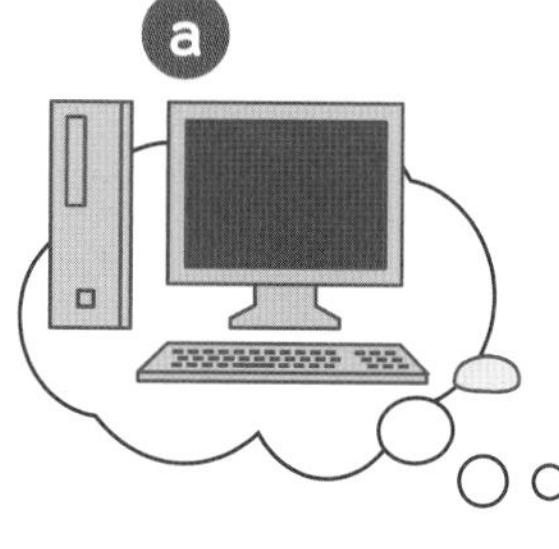

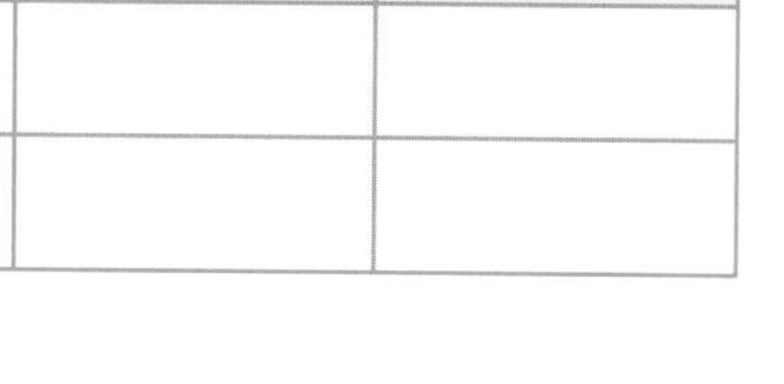

ルールを はっけんしましょう。

コンピューター、かりても いいですか。

・ファックス、つかっても いいですか。
・これ、コピーしても いいですか。
・日本に（こくさいでんわします → いいですか）。
・ちょっと ペン、（かります → いいですか）。

**V-ても**
します → しても
かります → かりても
つかいます → つかっても

→p157

オフィスの ものを つかいたいです。オフィスの ひとに 聞きましょう。

すみません、コンピューター、かりても いいですか。

はい、どうぞ。

すみません。いま、こわれてます。

いま、つかってます。

##  おせわに なりました

→p157

たなかさんは 日本に かえります。タイラーさんは くうこうに みおくりに 来ました。

タイラーさん 、
みおくり、ありがとうございました。
おせわに なりました。
いいえ。
ほんしゃの みなさん に
よろしく おつたえください。
これは、エドワードさん からです。
わかりました。
それじゃあ、また。

エドワードさんからの
メッセージを 読みましょう。

たなかさん

おつかれさまでした。
らいげつ わたしも
日本に しゅっちょうします。

東京で、いっしょに しょくじ
しましょう。

エドワード

## 日本の かいしゃ

Japanese companies

**日本の かいしゃは せかいじゅうで かつやくしています。**
**あなたは　日本の かいしゃを しっていますか。**

Japanese companies operate all over the world. Do you know any Japanese companies?

● **あなたの まわりに 日本の せいひんが ありますか。**

Are there any Japanese products around you?

1. 資生堂（しせいどう） <SHISEIDO>　2. ホンダ <HONDA>　3. ユニクロ <UNIQLO>
4. 無印良品（むじるしりょうひん） <MUJI>　5. ヤクルト <Yakult>　6. セイコー <SEIKO>
7. パナソニック <Panasonic>

# けんこう

## だい15か　たいそうすると いいですよ

41. ともだちに からだの ぐあいを 聞きます／こたえます
    Ask a friend how he/she is feeling / Answer how you are feeling
42. かんたんな たいそうの しかたを 聞きます／言います
    Listen to/Say how to do some easy exercises
43. からだに いいことを すすめます
    Suggest something good for the health

---

## だい16か　はしったり、およいだり しています

44. けんこうの ために している ことを かんたんに 話します
    Talk briefly about what you usually do to stay healthy
45. けんこうについての かんたんな アンケートを 読んで こたえます
    Read and answer a simple questionnaire on health
46. アンケートの けっかを かんたんな ことばで はっぴょうします
    Make a simple presentation about the results of a questionnaire

8

# だい15か　たいそうすると いいですよ

## 1 かおと からだ

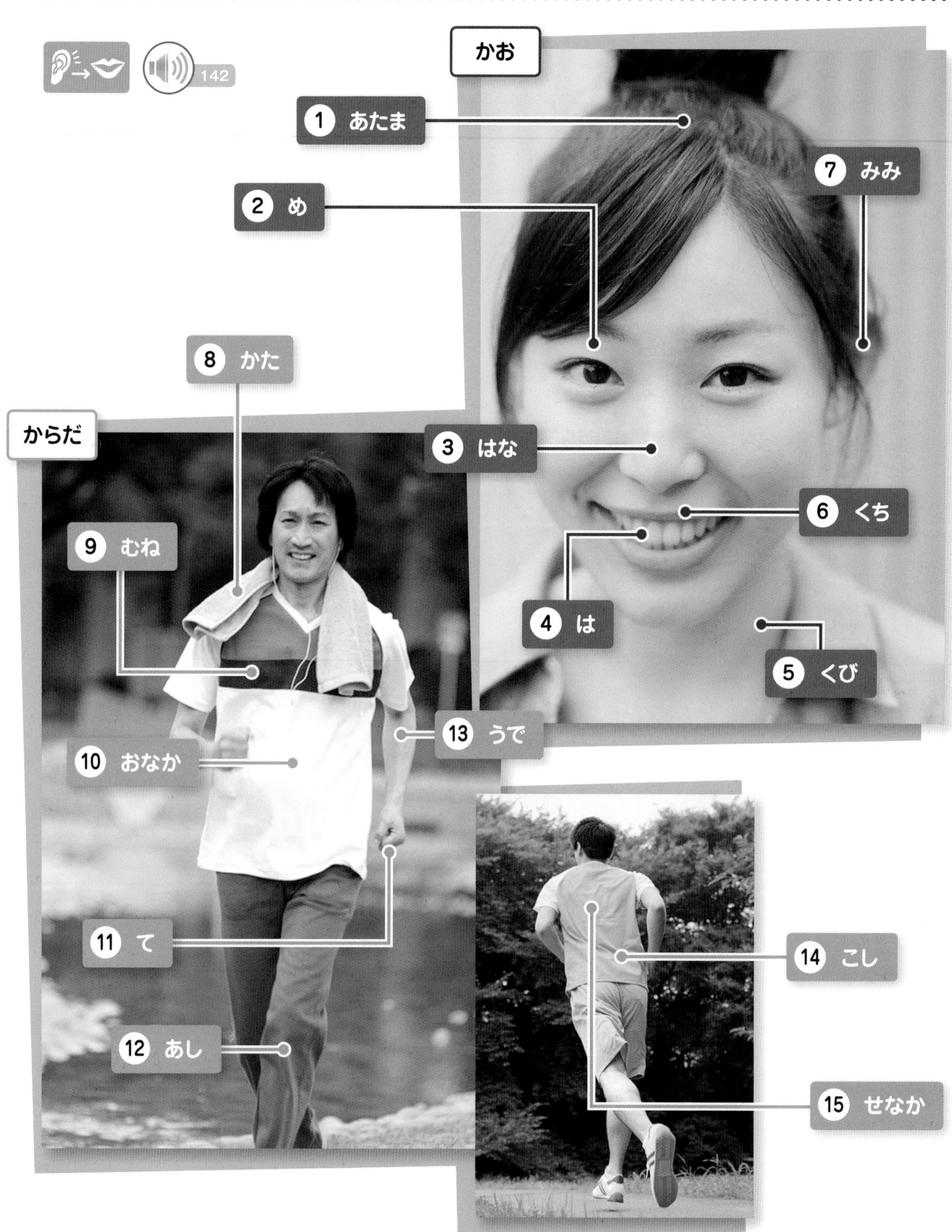

どうしたんですか。

1. おなかが いたいです

2. ねられません

3. つかれています

## ❷ どうしたんですか

4にんは げんきじゃないです。
どこが いたいですか。

| 1 | 2 | 3 | 4 |
|---|---|---|---|
| まりさん | キムさん | のださん | たなかさん |
| d | | | |

→p158

ともだちは きょう げんきじゃないです。ともだちに だいじょうぶか 聞(き)きましょう。

どうしたんですか。

だいじょうぶですか。

ちょっと くび が いたいんです。

## ❸ こうやって かたを まわして ください

ともだちと たいそうを します。どの たいそうを しますか。

| 1 | 2 | 3 | 4 |
|---|---|---|---|
| b | | | |

こうやって

きゅうに

c くびを まげます

a うでを あげます

たかく

b かたを まわします

ゆっくり

d いきを すいます／はきます

大(おお)きく

ルールを はっけんしましょう。

1 の 1- 3を もういちど 聞(き)いて えらびましょう。

・かたを きゅうに まわさないで ください。
・あまり むりを（　　　　　　　　ください）。
・くびを きゅうに（　　　　　　　　ください）。

**V- ない で**

します → しないで
まげます → まげないで
まわします → まわさないで

しないで　　まげないで　　まわさないで

→p158 **ともだちに たいそうを おしえましょう。**

かた の たいそうです。
こうやって かたを ゆっくり まわして ください。

かたを ゆっくり まわします。

どうですか。

きもちが いいです。

あ、ちょっと いたいです。

あまり むりを しないで くださいね。

## ❹ この くすりを 飲むと いいですよ

4にんの はなしを 聞きましょう。

| | 1 | 2 | 3 | 4 |
|---|---|---|---|---|
| | まりさん | キムさん | のださん | たなかさん |
| (1) | a | | | |
| (2) | ア くすりを 飲みます | | | |

（1） 4にんは いま どうですか。

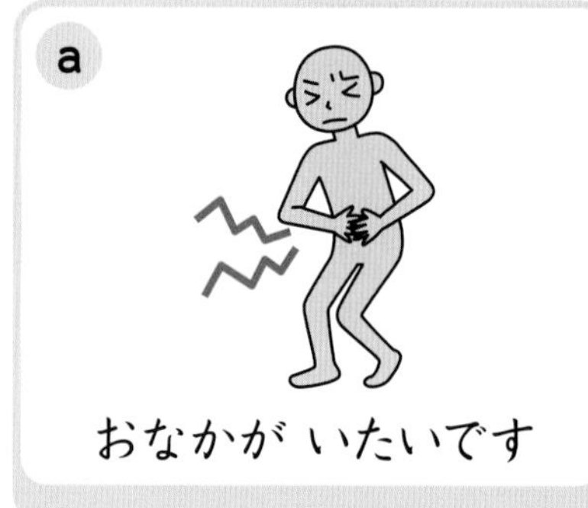

a おなかが いたいです

b ねられません

c つかれています

（2）ともだちは どんな アドバイスを しましたか。

ア くすりを 飲みます

イ おふろに はいります

ウ ぎゅうにゅうを 飲みます

エ おんがくを 聞きます

## 2 ルールを はっけんしましょう。

**V- る**

たべます → たべる
ねます → ねる

(1) ねる まえに、ぎゅうにゅうを 飲(の)みます。

・ねる まえに、おんがくを 聞(き)きます。
・(ねます → 　　　　まえに)、おふろに はいります。
・ごはんを (たべます → 　　　　まえに)、この くすりを 飲(の)みます。

**V- ると**

します → すると
ききます → きくと
のみます → のむと
はいります → はいると

(2) ぎゅうにゅうを 飲(の)むと いいですよ。

・おんがくを 聞(き)くと いいですよ。
・おふろに (はいります → 　　　　と いいですよ)。
・ねる まえに、(たいそうします → 　　　　と いいですよ)。

## 3 Can-do 43 →p158 ともだちに けんこうの ための アドバイスを しましょう。

どうしたんですか。

ねられません。

ちょっと おなかが いたいんです。

つかれています。

だいじょうぶですか。ねる まえに、この くすりを 飲(の)むと いいです よ。

ありがとうございます。

はやく よく なると いいですね。

15

# だい16か　はしったり、およいだり　しています

## 1　けんこうてきな　せいかつ

155

a ジョギングを　します
／ はしります

b すいえいを　します
／ およぎます

c たいそうを　します

d ウォーキングを　します
／ あるきます

e エアロビクスを　します

f トレーニングを　します

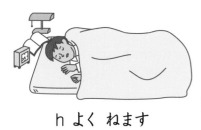

g ヨガを　します

h よく　ねます

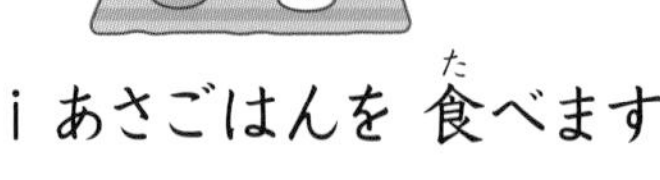

i あさごはんを　食(た)べます

j やさいを　食(た)べます

k おんがくを　聞(き)きます

l おさけを　飲(の)みます

m おさけを　飲(の)みません

n たばこを　すいません

● あなたは　けんこうの　ために　なにを　していますか。

## ❷ はしったり、およいだり しています

しゅう に なんかい ぐらいですか。

（1）けんこうの ために なにを していますか。（p122 a-n）

（2）どのぐらい していますか。

| | 1 | 2 | 3 | 4 |
|---|---|---|---|---|
| （1） | g ヨガ | | | |
| （2） | まいあさ<br>20分（ぷん） | しゅうに<br>（　　）かい | しゅうまつ<br>（　　）キロ | まいにち<br>（　　）じかん |

16

A: なにか して(い)ますか。
B: なにも して(い)ません。

4にんは なにを していますか。（p122 a-n）

| | 1 ジョイさん | 2 シンさん | 3 よしださん | 4 たなかさん |
|---|---|---|---|---|
| なにを？ | a ジョギングを します | | | |
| | c たいそうを します | | | |

## ルールを はっけんしましょう。

ジムで はしったり、およいだり して(い)ます。

・わたしは こうえんで ジョギングしたり、たいそうしたり して(い)ます。
・わたしは ときどき ジムで（およぎます → 　　　　）、（トレーニングします → 　　　　 して(い)ます）。
・わたしは やさいジュースを（のみます → 　　　　）、魚（さかな）を（たべます → 　　　　 して(い)ます）。

**V-たり**

します
→ したり
たべます
→ たべたり
およぎます
→ およいだり
のみます
→ のんだり
はしります
→ はしったり

## けんこうの ために している ことを 話（はな）しましょう。

Can-do 44 →p158

けんこうの ために なにか してますか。

はい、ヨガ を してます。

はい、ヨガを したり、トレーニングを したり してます。

そうですか。どのぐらい してますか。

まいにち です。

トレーニング は しゅうに 2かい です。

そうですか。

すごいですね。

いいですね。

いいえ、なにも してません 。

そうですか。

## ❸ けんこうアンケート

**けんこうアンケート**　つぎの しつもんに こたえて ください。

（1）あなたは よく スポーツを しますか。
❶よく する　❷ときどき する　❸しない

（2）あなたは まいあさ あさごはんを 食べますか。
❶まいあさ 食べる　❷ときどき 食べる　❸食べない

（3）あなたは よく おさけを 飲みますか。
❶よく 飲む　❷ときどき 飲む　❸飲まない

（4）あなたは たばこを すいますか。
❶よく すう　❷ときどき すう　❸すわない

2  なんにんですか。（　）に 書きましょう。

| | | A グループ（15 人） |
|---|---|---|
| （1）スポーツ | よく する | （ 3 ）人 |
| | ときどき する | （　　）人 |
| | しない | （　　）人 |
| | | |

ていねいけい
(polite form)
→ ふつうけい
(plain form)

します → する
たべます → たべる
すいません → すわない
のみません → のまない

3 ルールを はっけんしましょう。

スポーツを よく する ひと は 3にんです。

・おさけを 飲まない ひと は 10にんです。
・（まいにち あさごはんを たべます →　　　　　ひと）は 5にんです。
・（たばこを すいません →　　　　　ひと）は 5にんです。

→p159 アンケートの こたえを クラスで はっぴょうしましょう。

Aグループ の こたえを 言います。
スポーツを よく する ひと は 3にん です。
ときどき する ひと は 7にん です。
しない ひと は 5にん です。

16

# けんこうほう

## Staying Healthy

**けんこうの ために いろいろな かつどうを したり、どうぐを つかったり します。**

**People do a variety of activities and use a variety of equipment and devices to stay healthy.**

1

3
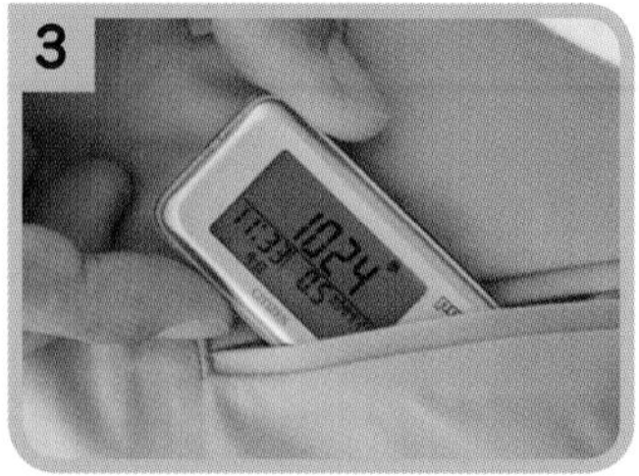

2

4
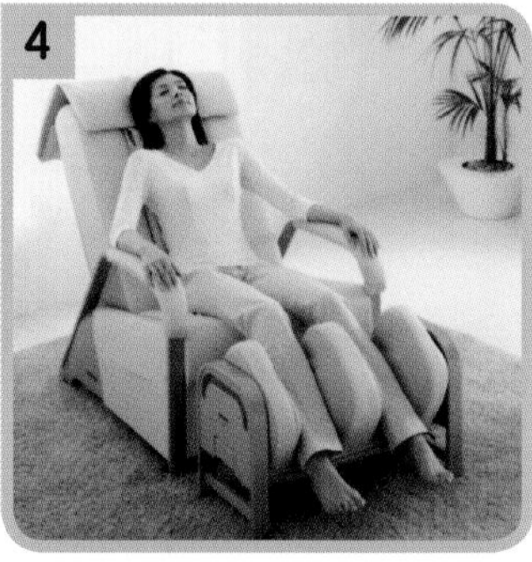

5

- **あなたの くにでは けんこうの ために どんな ことを していますか。**
  **What do you do in your country to stay healthy?**
- **むかしからの けんこうほう、新(あたら)しい けんこうほうについて 話(はな)しましょう。**
  **Discuss old and new ways of staying healthy.**

1. ラジオたいそう（こうえん）<radio calisthenics (in the park)>
2. ラジオたいそう（しょくば）<radio calisthenics (in the workplace)>
3. まんぽけい <pedometer>
4. かたもみき <electric shoulder massager>
5. バランスボール <balance ball>

# おいわい

## だい17か　たんじょう日(び)に　もらったんです

47. ともだちの　もちものを　ほめます
    Compliment a friend on his/her things
48. じぶんの　もちものについて、いつ、だれに　もらったかなどを　かんたんに　話します
    Talk about your things, saying when and from whom you got them
49. じぶんの　くにの　プレゼントの　しゅうかんについて　かんたんに　話します
    Talk briefly about the custom of present-giving in your country

---

## だい18か　パーティーが　いいと　おもいます

50. ともだちの　おいわいを　なんに　するか　話します
    Discuss what to do for a friend's celebrations
51. けっこんの　おいわいの　カードを　読みます
    Read a congratulatory message for a wedding
52. けっこんの　おいわいの　カードを　書きます
    Write a congratulatory message for a wedding
53. プレゼントを　もらって　おれいを　言います
    Thank someone for a present you receive

# だい17か たんじょう日(び)に もらったんです

## 1 プレゼント

(1) 165

(2) 166

(1) どんな とき、プレゼントを あげますか。

おいわい

たんじょう日(び)

にゅうがく

そつぎょう

しゅうしょく

けっこん

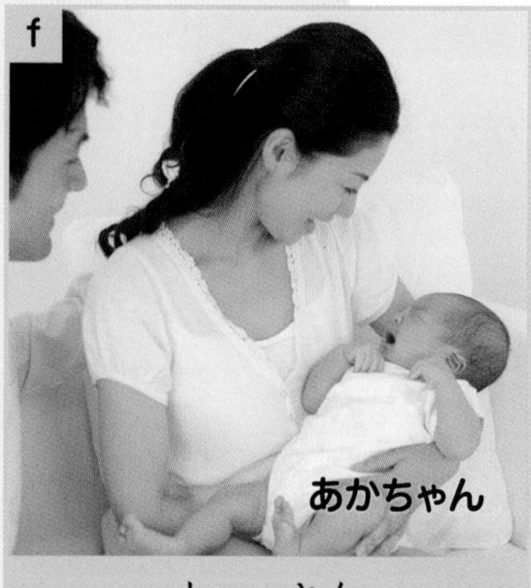

しゅっさん

ははの 日(ひ)

ちちの 日(ひ)

クリスマス

バレンタイン・デー

(2) どんな ものを あげますか。

17

## ❷ その ネックレス、すてきですね

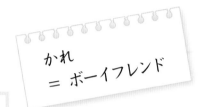

  ともだちの ものを 見(み)て、ほめます。

（1）なにを ほめましたか。（p129 k-w）

（2）ともだちは なんと 言(い)いましたか。
いつ（p128 a-f）、どうしましたか（ア - ウ）。

かれ
＝ ボーイフレンド

ア もらいました　　イ つくりました　　ウ かいました

| | 1 あべさん | 2 パクさん | 3 シンさん | 4 やまださん |
|---|---|---|---|---|
| （1）なに | k ネックレス | | | |
| （2）いつ | a たんじょうび | | | |
| どう | かれに（ア もらいました） | ちちに（　　　） | じぶんで（　　　） | じぶんで（　　　） |

2 ルールを はっけんしましょう。

たんじょう日(び)に かれに もらったんです。

- A：その ネックレス、すてきですね。
  B：たんじょう日(び)に かれに もらったんです。
- A：その かばん、いいですね。
  B：しゅうしょくの とき、じぶんで 買(か)ったんです。
- A：それ、かっこいい とけいですね。
  B：だいがくの そつぎょうの おいわいに ちちに（もらいました →　　　　んです）。
- A：かわいい セーターですね。どうしたんですか。
  B：じぶんで（つくりました →　　　　　　んです）。

**ていねいけい**
**(polite form)**
**→ ふつうけい ＋ んです**
**(plain form)**

かいました → かったんです
つくりました → つくったんです
もらいました → もらったんです

→p159

ともだちの ものを 見て、ほめましょう。どんな ものですか。

その ネックレス 、すてきです ね。

これ、たんじょう日(び)に
かれに もらったんです。

そうですか。
いいです ね。

ありがとうございます。

それ、いいですね。

よく にあっていますね。

おしゃれですね。

きれいですね。

めずらしいですね。

かっこいいですね。

おもしろいですね。

## ❸ しごとで つかう ものを あげます

たとえば、A とか B

プレゼントについて 話(はな)しています。1-4 の とき、どんな ものを あげますか。

キムさん

ジョイさん

よしださん

すずきさん

| 1 けっこん | a | 2 しゅっさん | | 3 しゅうしょく | | 4 ちちの 日(ひ) | |
|---|---|---|---|---|---|---|---|

**ルールを はっけんしましょう。**

ていねいけい
(polite form)
→ ふつうけい
(plain form)

きます → きる
あそびます → あそぶ
かざります → かざる
つかいます → つかう

へやに かざる もの を あげます。

- しごとで つかう もの を あげます。
- ちちの 日(ひ)に（しごとで きます → しごとで 　　　 もの）を あげます。
- ともだちに（あかちゃんと あそびます → あかちゃんと 　　　 もの）を あげます。

→p159

おいわいの プレゼントについて 話(はな)しましょう。あなたの くにでは どうですか。

日本 では

よしださん は、けっこん の おいわいに
どんな ものを あげますか。

え とか とけい を あげます。

へやに かざる もの が おおいです。

たとえば？

たとえば、え とか とけい です。

17

# だい18か パーティーが いいと おもいます

## 1 おいわい

(1) 175

(2) 176

(3) 177

(1) どんな とき、おいわいを しますか。

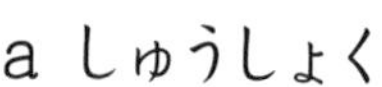
a しゅうしょく

b ひっこし

c けっこん

d しゅっさん

(2) おいわいに どんな ことを しますか。

e プレゼントを あげます

f パーティーを します

g レストランで しょくじを します

h カードを 書(か)きます

(3) どうしてですか。

i よろこびます

j たのしいです

k すきです

l ひつようです

## らいげつ、あべさんが けっこんします

1 178-181 ともだちの おいわいについて そうだんします。

（1）なんの おいわいですか。（p134 a-d）

（2）おいわいに なにを しますか。（p134 e-h）

| | 1 | 2 | 3 | 4 |
|---|---|---|---|---|
| (1) | あべさんの（ c けっこん ） | カーラさんの（　　　） | パクさんの（　　　） | クリスティーナさんの（　　　） |
| (2) | f パーティーを します | | | |

2 ルールを はっけんしましょう。

（1） あべさんは きっと よろこぶ と おもいます。

・おいわいは パーティーが いい と おもいます。

・（パーティーは たのしいです →　　　　　　）と おもいます。

・（あかちゃんの ものが ひつようです →　　　　　　）と おもいます。

| | |
|---|---|
| **ていねいけい (polite form) → ふつうけい (plain form)** | いいです → いい<br>たのしいです → たのしい<br>ひつようです → ひつようだ<br>よろこびます → よろこぶ |

18

(2) カーラさんは かわいい ものが すきだ と 言って(い)ました。

・パクさんは 日本の かいしゃに しゅうしょくした と 言って(い)ました。

・あべさんは（みんなと はなしたいです →　　　　　　　　　）と
言って(い)ました。

・さとうさんは（パーティーが すきじゃないです →　　　　　　　　　）と
言って(い)ました。

| **ていねいけい (polite form) → ふつうけい (plain form)** | |
|---|---|
| | すきです → すきだ |
| | すきじゃないです → すきじゃない |
| | しゅうしょくしました → しゅうしょくした |
| | はなしたいです → はなしたい |

Can-do 50 →p159 **ともだちの おいわいに なにを しますか。そうだんしましょう。**

あべさんの けっこん の
おいわい、どうしますか。

パーティー が いいと おもいます。

パーティー ですか。

ええ、あべさん、みんなと 話したい と 言ってました。

いいですね。

あべさん 、よろこぶと
おもいます。

どんな もの？

プレゼント？

## ❸ おしあわせに！

  けっこんの おいわいの カード

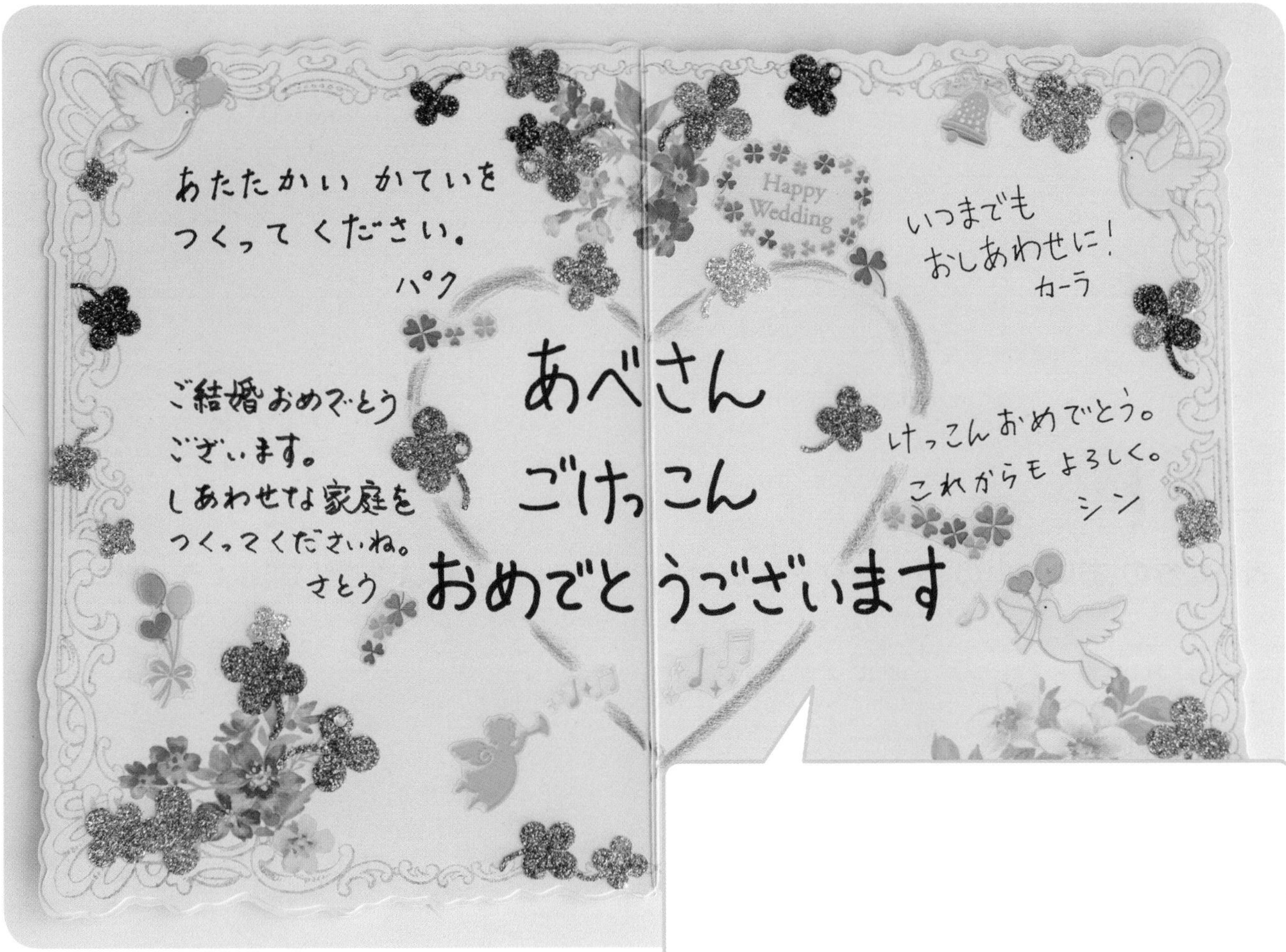

あたたかい かていを
つくって ください。
パク

Happy Wedding

いつまでも
おしあわせに！
カーラ

あべさん
ごけっこん
おめでとうございます

ご結婚おめでとう
ございます。
しあわせな家庭を
つくってくださいね。
さとう

けっこんおめでとう。
これからもよろしく。
シン

1 の カードに あなたの おいわいの ことばと なまえを 書（か）きましょう。

- ごけっこん ← けっこん
- おしあわせに
  ← しあわせに なって ください
- あたたかい かてい

18

## ④ あけても いいですか

あべさんは おいわいの プレゼントを もらいました。だれから もらいましたか。

a シンさんと カーラさん　b クラスの みんな　c スタッフの みんな

| 1 | 2 | 3 |
|---|---|---|
| a シンさんと カーラさん | | |

→p159

ともだちの おいわいの プレゼントを あげましょう。／ おれいを 言(い)いましょう。

これ、おいわいの プレゼントです。
シンさんと わたし からです。
どうぞ。

すみません。

どうも ありがとうございます。
あけても いいですか。

はい、どうぞ。

すてきな コーヒーカップ ですね。
ありがとうございます。

うれしいです。

たいせつに します。

# プレゼントの おくりかた

Giving Presents

**ものを あげる とき、つつみかたが たいせつです。**

The way a present is wrapped is important when giving someone a gift.

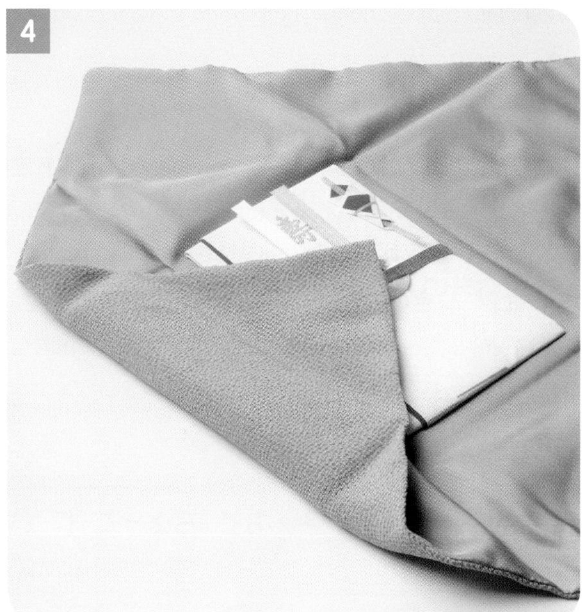


## ● あなたは プレゼントを どのように して あげますか。

What do you do when you give presents?

1. いろいろな ラッピング <various wrappings>
2. ふろしき <Japanese wrapping cloth>
3. ごしゅうぎぶくろ <gift envelopes>
4. ふくさ <small silk wrapping cloth for ceremonial use>

# テストとふりかえり２（トピック 6-9）　Test and Reflection 2 (Topics 6-9)

この じかんでは つぎの ４つの ことを します。3 と 4 は なにごで 話しても いいです。

In Test and Reflection2 you will do these four things. You can speak in any language for 3 and 4

れい：120 分のばあい　Example: with a class length of 120 minutes

| 15 分 | 80 分 | 25 分 |
|---|---|---|
| 1<br>Can-do チェック<br>'Can-do Check' | 2<br>ひとりずつ テストを うけます<br>Take the test one person at a time<br><br>3<br>テストの あいだに グループで 話します<br>Speak in groups while waiting to take your test | 4<br>クラスで 話します<br>Speak as a class |

## 1 Can-do チェック　'Can-do Check'

Can-do チェック（p178-181）を 見なおしましょう。
もういちど やってみたい Can-do を えらんで ペアで れんしゅうしましょう。
あなたに とって たいせつな Can-do を えらびましょう。

Look again at the 'Can-do Check' on page 178-181. Choose the Can-do statements you want to try again and practise in pairs. Choose the Can-do statements that are important to you.

## 2 テスト　Test

<u>**ひとりずつ**</u> せんせいの ところに 行って テストを うけます。テストは ひとり５分です。

Take the test one person at a time. The test takes 5 minutes per person.

### （１）もじテスト　Japanese character test

たとえば つぎの ような ぶんを 読みます。ことばを 80 パーセント 読めたら ごうかくです。

For example, you will read sentences like the following. If you can read 80 percent of the words, you will pass.

れい　Example

マレーシアの クロッポと ちょっと にています。

たなかさんに 東京で 会(あ)ったことが あります。

ときどき スポーツを する ひとは ４にんです。

カーラさんは きっと よろこぶと おもいます。

### （２）かいわテスト　Conversation test

・カードを 読んで、せんせいと かいわを して ください。

Read the card and have a conversation with your teacher.

かいわテストでは べんきょうした ことばを できるだけ たくさん つかいましょう。
しつもんが わからない ときは もう いちど 聞きましょう。
In the conversation test, try to use the Japanese you have learned as much as possible. You can ask the teacher to repeat the question if you don't understand.

**れい** Example

きょう、せんせいは すこし ぐあいが わるそうです。
せんせいと 話して ください。
Your teacher is not feeling very well today. Say something to him/her.

**〈 かいわテストの ひょうか 〉** Evaluating your performance

| | |
|---|---|
| もっと すごい<br>Magnificent ! | みじかな ことについて はっきりした 話しかたで しつもんされたら、<br>すぐに ぜんぶ こたえることが できます。<br>2つ いじょうの ぶんを つづけて たくさん 話すことが できます。<br>You were able to immediately answer all questions about a familiar topic, provided the other person spoke clearly.<br>You were able to speak using two or more sentences in a row. |
| ごうかく<br>Well done ! | みじかな ことについて はっきりした 話しかたで しつもんされたら、<br>ほとんど こたえることが できます。<br>You were able to answer most questions about a familiar topic, provided the other person spoke clearly. |
| もう すこし<br>Getting there ! | みじかな ことについて はっきりした 話しかたで とても ゆっくり しつもんされたら、<br>すこし こたえることが できます。<br>You were able to partially answer questions about a familiar topic, provided the other person spoke clearly and slowly. |

## 3 グループで 話しましょう。　Speak in groups.

テストの あいだに 4にんぐらいの 小さい グループに なって①と②を 見せて 話しましょう。

While waiting to take your test, make small groups of about four people, show ① and ② below and talk about them.

①日本語・日本ぶんかの たいけんきろく

Records of your experiences of Japanese language and culture

②じぶんで 書いた もの

- だい 11 か ❷ ③ ピクニックの メモ
- だい 18 か ❸ ② けっこんの おいわいの カード

Things you wrote in lesson 11: notes for a picnic and lesson 18: wedding card.

## 4 グループで 話しあった ことを ほかの ひとにも 話しましょう。

Share the things you talked about in groups with other people.

# ぶんぽうのまとめ　Grammar Review

## 1 どうし (Verbs : V)

### ① ていねいけい と ふつうけい (Polite form and Plain form)

| | ていねいけい (polite form) | | | |
|---|---|---|---|---|
| | ひかこ (non-past) | | かこ (past) | |
| | こうてい (affirmative) | ひてい (negative) | こうてい (affirmative) | ひてい (negative) |
| グループ 1 | かいます | かいません | かいました | かいませんでした |
| | まちます | まちません | まちました | まちませんでした |
| | かえります | かえりません | かえりました | かえりませんでした |
| | あります | ありません | ありました | ありませんでした |
| | あそびます | あそびません | あそびました | あそびませんでした |
| | よみます | よみません | よみました | よみませんでした |
| | しにます | しにません | しにました | しにませんでした |
| | かきます | かきません | かきました | かきませんでした |
| | いきます | いきません | いきました | いきませんでした |
| | およぎます | およぎません | およぎました | およぎませんでした |
| | はなします | はなしません | はなしました | はなしませんでした |
| グループ 2 | います | いません | いました | いませんでした |
| | おきます | おきません | おきました | おきませんでした |
| | たべます | たべません | たべました | たべませんでした |
| グループ 3 | します | しません | しました | しませんでした |
| | きます | きません | きました | きませんでした |

L● ：かつどう（初級 1）と りかい（初級 1）の●か
Lesson in *Katsudoo* (Elementary1) and *Rikai* (Elementary1)
かL●：かつどう（初級 1）だけ
Only in *Katsudoo* (Elementary1)
りL●：りかい（初級 1）だけ
Only in *Rikai* (Elementary1)

| ふつうけい (plain form) | | | |
|---|---|---|---|
| ひかこ (non-past) | | かこ (past) | |
| こうてい (affirmative) | ひてい (negative) | こうてい (affirmative) | ひてい (negative) |
| かう | かわない | かった | かわなかった |
| まつ | またない | まった | またなかった |
| かえる | かえらない | かえった | かえらなかった |
| ある | ない | あった | なかった |
| あそぶ | あそばない | あそんだ | あそばなかった |
| よむ | よまない | よんだ | よまなかった |
| しぬ | しなない | しんだ | しななかった |
| かく | かかない | かいた | かかなかった |
| いく | いかない | いった | いかなかった |
| およぐ | およがない | およいだ | およがなかった |
| はなす | はなさない | はなした | はなさなかった |
| いる | いない | いた | いなかった |
| おきる | おきない | おきた | おきなかった |
| たべる | たべない | たべた | たべなかった |
| する | しない | した | しなかった |
| くる | こない | きた | こなかった |

V（ふつうけい plain form）ひと（L16）
V（ふつうけい plain form）もの（L17）
V（ふつうけい plain form）んです（L17）
V（ふつうけい plain form）N（L17）
V（ふつうけい plain form）と おもいます（L18）
V（ふつうけい plain form）と いっていました（L18）

## 2 かつよう (Conjugation)

| | Vます | Vます－ます<br>ますけい (MASU-form) | V-る<br>るけい／じしょけい<br>(RU-form/dictionary form) | V-て<br>てけい (TE-form) |
|---|---|---|---|---|
| グループ 1 | かいます | かい | かう | かって |
| | まちます | まち | まつ | まって |
| | かえります | かえり | かえる | かえって |
| | あります | あり | ある | あって |
| | あそびます | あそび | あそぶ | あそんで |
| | よみます | よみ | よむ | よんで |
| | しにます | しに | しぬ | しんで |
| | かきます | かき | かく | かいて |
| | いきます | いき | いく | いって |
| | およぎます | およぎ | およぐ | およいで |
| | はなします | はなし | はなす | はなして |
| グループ 2 | います | い | いる | いて |
| | おきます | おき | おきる | おきて |
| | たべます | たべ | たべる | たべて |
| グループ 3 | します | し | する | して |
| | きます | き | くる | きて |
| | | V-に いきます (L8)<br>V-ませんか (L8)<br>V-ましょう (L8)<br>V-たいんですが…。(か L8)<br>V-かた (L9)<br>V-たいです (L10)<br>V-たくないです (り L10)<br>V-ましょうか (L10)<br>V-すぎます (り L13) | V-ること (L2)<br>V-るのが Aです (L9)<br>V-るまえに (L15)<br>V-ると いいです (L15) | V-ています (L1)<br>V-て ください (L6)<br>V1-て、V2 (L6)<br>V-て (りゆう reason) (L7)<br>V-て くださいませんか (L9)<br>V-てみます (り L10)<br>V-てきます／いきます (L11)<br>V-て(　) 年／か月に なります (り L13)<br>V-ても いいですか (L14) |

| | V-た<br>たけい (TA-form) | V-ない<br>ないけい (NAI-form) | |
|---|---|---|---|
| | かった | かわない | あいます、いいます、おもいます、すいます、ちがいます、つかいます、てつだいます、ならいます、にあいます、まよいます |
| | まった | またない | もちます |
| | かえった | かえらない | かざります、くもります、しります、つくります、つもります、とまります、とります、なります、のります、はいります、はしります、ふります、まがります、わかります、わたります |
| | あった | ない | |
| | あそんだ | あそばない | よろこびます |
| | よんだ | よまない | すみます、のみます |
| | しんだ | しなない | |
| | かいた | かかない | あるきます、ききます、つきます、はきます、はたらきます、ふきます |
| | いった | いかない | もっていきます |
| | およいだ | およがない | |
| | はなした | はなさない | かします、まわします |
| | いた | いない | かります、できます、にます、みます |
| | おきた | おきない | |
| | たべた | たべない | あけます、あげます、あつめます、おくれます、おしえます、おぼえます、こたえます、こわれます、つかれます、でかけます、はれます、まげます、まちがえます、みえます |
| | した | しない | さんぽします、しゅっちょうします、コピーします、でんわします、プリントアウトします、プレゼントします、べんきょうします、ほんやくします |
| | きた | こない | もってきます |
| | V-たことが あります (L13)<br>V1-たり、V2-たり しています (L16) | V-ないで ください (L15) | |

## 2 イけいようし（I-Adjectives：イ A）

| | ていねいけい（polite form） | | | | ふつうけい（plain form） | |
|---|---|---|---|---|---|---|
| | ひかこ（non-past） | | かこ（past） | | ひかこ（non-past） | |
| | こうてい (affirmative) | ひてい (negative) | こうてい (affirmative) | ひてい (negative) | こうてい (affirmative) | ひてい (negative) |
| あつい | あついです | あつくないです | あつかったです | あつくなかったです | あつい | あつくない |
| おいしい | おいしいです | おいしくないです | おいしかったです | おいしくなかったです | おいしい | おいしくない |
| いたい | いたいです | いたくないです | いたかったです | いたくなかったです | いたい | いたくない |
| いい | いいです | よくないです | よかったです | よくなかったです | いい | よくない |
| | | あつくありません* | | あつくありませんでした* | イ A- い けど（L5）<br>イ A- そうです（L12）<br>イ A- そうな N（り L12）<br>イ A- すぎます（り L13） | |

## 3 ナけいようし（NA-Adjectives：ナ A）

| | ていねいけい（polite form） | | | | ふつうけい（plain form） | |
|---|---|---|---|---|---|---|
| | ひかこ（non-past） | | かこ（past） | | ひかこ（non-past） | |
| | こうてい (affirmative) | ひてい (negative) | こうてい (affirmative) | ひてい (negative) | こうてい (affirmative) | ひてい (negative) |
| すき | すきです | すきじゃないです | すきでした | すきじゃなかったです | すきだ | すきじゃない |
| きれい | きれいです | きれいじゃないです | きれいでした | きれいじゃなかったです | きれいだ | きれいじゃない |
| べんり | べんりです | べんりじゃないです | べんりでした | べんりじゃなかったです | べんりだ | べんりじゃない |
| しずか | しずかです | しずかじゃないです | しずかでした | しずかじゃなかったです | しずかだ | しずかじゃない |
| | | すきじゃ／すきでは ありません* | | すきじゃ／すきでは ありませんでした* | ナ A- だ けど（L5）<br>ナ A- そうです（L12）<br>ナ A- そうな N です（り L12）<br>ナ A- すぎます（り L13） | |

## 4 めいし（Nouns：N）＋です

| | ていねいけい（polite form） | | | | ふつうけい（plain form） | |
|---|---|---|---|---|---|---|
| | ひかこ（non-past） | | かこ（past） | | ひかこ（non-past） | |
| | こうてい (affirmative) | ひてい (negative) | こうてい (affirmative) | ひてい (negative) | こうてい (affirmative) | ひてい (negative) |
| あめ | あめです | あめじゃないです | あめでした | あめじゃなかったです | あめだ | あめじゃない |
| こども | こどもです | こどもじゃないです | こどもでした | こどもじゃなかったです | こどもだ | こどもじゃない |
| | | あめじゃ／あめでは ありません* | | あめじゃ／あめでは ありませんでした* | N だけど（L5） | N- じゃなくて（L6） |

| かこ (past) | | イA＋N (noun modifying) | A-て | A-くなくて | adverbial use |
|---|---|---|---|---|---|
| こうてい (affirmative) | ひてい (negative) | | | | |
| あつかった | あつくなかった | あつい | あつくて | あつくなくて | あつく |
| おいしかった | おいしくなかった | おいしい | おいしくて | おいしくなくて | おいしく |
| いたかった | いたくなかった | いたい | いたくて | いたくなくて | いたく |
| よかった | よくなかった | いい | よくて | よくなくて | よく |
| | | イA-い とき (L2)<br>イA-い の (L3) | イA-くて、______ (L5)<br>イA-くて ______ N (L6)<br>イA-くて (りゆう reason) (L12) | イA-くなくて (りゆう reason) (L12) | イA-く なります (L3) |

| かこ (past) | | ナA＋N (noun modifying) | ナAで | ナAじゃなくて | adverbial use |
|---|---|---|---|---|---|
| こうてい (affirmative) | ひてい (negative) | | | | |
| すきだった | すきじゃなかった | すきな | すきで | すきじゃなくて | すきに |
| きれいだった | きれいじゃなかった | きれいな | きれいで | きれいじゃなくて | きれいに |
| べんりだった | べんりじゃなかった | べんりな | べんりで | べんりじゃなくて | べんりに |
| しずかだった | しずかじゃなかった | しずかな | しずかで | しずかじゃなくて | しずかに |
| | | ナA-な とき (L2)<br>ナA-な の (L3) | ナA-で、______ (L5)<br>ナA-で ______ N (L6)<br>ナA-で (りゆう reason) (L12) | ナA-じゃなくて (りゆう reason) (L12) | ナA-に なります (L3) |

| かこ (past) | | N＋N (noun modifying) | Nで | Nじゃなくて |
|---|---|---|---|---|
| こうてい (affirmative) | ひてい (negative) | | | |
| あめだった | あめじゃなかった | あめの | あめで | あめじゃなくて |
| こどもだった | こどもじゃなかった | こどもの | こどもで | こどもじゃなくて |
| | | Nの とき (L2)<br>Nの あとで (L8)<br>Nの まえに (L8) | Nで、… (り L5)<br>Nでも いいですか (L7)<br>Nで (りゆう reason) (L7) | N-じゃなくて (L6) |

* この本では つかいません
Not used in this book

## 5 じょし (Particles)

| | れいぶん (example sentences) | か (lesson) |
|---|---|---|
| か | しゅみは なんですか。 | 2 |
| が | バッハが すきです。 | 2 |
| | わたしは 日本語と かんこくごと えいごが できます。 | 1 |
| | あめが よく ふります。 | 3 |
| | たいしかんに 行きたいんですが…。 | 6 |
| | 日本語は はつおんが かんたんです。 | 9 |
| から | ふじさんは ここから とおいです。 | 5 |
| | これ、おいわいの プレゼントです。シンさんと わたしからです。 | 18 |
| | あきが すきです。すずしいですから。 | 3 |
| ぐらい | いま、ゆきが 50センチぐらい つもっています。 | 4 |
| | 30分ぐらい おくれます。 | 7 |
| けど | ゆうめいな みせは おしゃれだけど、ちょっと たかいです。 | 5 |
| で | まりさんは ホテルで はたらいています。 | 1 |
| | わたしたちは 日本語と かんこくごで 話します。 | 1 |
| | じゅうたいで おくれました。 | 7 |
| | じぶんで します。 | 14 |
| でも | まちあわせの じかんは 10時でも いいですか。 | 7 |
| と | わたしの かぞくは 3にんです。おっとと むすめです。 | 1 |
| | わたしは ともだちと タワーを 見に 行きます。 | 8 |
| | かんこくの キンパと にています。 | 12 |
| | あべさんは きっと よろこぶと おもいます。 | 18 |
| | この くすりを 飲むと いいですよ。 | 15 |
| とか | えとか とけいを あげます。 | 17 |
| に | 東京に すんで（い） ます。 | 1 |
| | 10時に、ホテルの ロビーは どうですか。 | 7 |
| | たいしかんに 行きたいんですが…。 | 6 |
| | 1つめの かどを みぎに まがって ください。 | 6 |
| | 3月ごろ、あたたかく なります。はるに なります。 | 3 |
| | たなかさんに 会ったことが あります。 | 13 |
| | ともだちに あかちゃんと あそぶものを あげます。 | 17 |
| | これ、たんじょうびに かれに もらったんです。 | 17 |
| | タイに りょこうに 行きます。 | 10 |
| | つきに 2かいぐらい 日本りょうりを 食べます。 | 10 |
| ね | きのうは あつかったですね。 | 4 |
| | 2つめの かどを みぎですね。 | 6 |
| の | わたしの かぞくは 3にんです。 | 1 |
| | くるまの かいしゃ | 1 |

| | れいぶん (example sentences) | か (lesson) |
|---|---|---|
| の | ほんしゃの みなさんに よろしく おつたえください。 | 14 |
| | あついのが にがてです。 | 3 |
| | ちゅうごくごは 書くのが ちょっと むずかしいです。 | 9 |
| は | わたしたちは 東京に すんでいます。 | 1 |
| | しごとは して（い） ません。 | 1 |
| も | かんこくごが できます。日本語も すこし できます。 | 1 |
| や | こうえんの なかに、コーヒーショップや どうぶつえんが あります。 | 5ス |
| よ | わたしも チキンカレー、よく つくりますよ。 | 2 |
| を | おねえさんは オペラを べんきょうしています。 | 1 |
| | ぎんこうは この とおりを まっすぐ 行って ください。 | 6 |
| (の) ために | けんこうの ために なにか していますか。 | 16 |

## 6 ぎもんし（Interrogatives）

| | ぎもんし（interrogatives） | れいぶん (example sentences) | か (lesson) |
|---|---|---|---|
| ひと（person） | だれ | この 男の子は だれですか。 | りかい 1 |
| もの（thing） | なん | しゅみは なんですか。 | 2 |
| | なに | ひまな とき、なにを しますか。 | 2 |
| | どんな＋めいし (noun) | どんな カレーを つくりますか。 | 2 |
| ばしょ（place） | どこ | すみません。はくぶつかんは どこですか。 | 6 |
| とき（time） | なんじ | まちあわせの じかんは なんじですか。 | りかい 7 |
| | いつ | すきな きせつは いつですか。 | 3 |
| ほうほう（means） | どうやって | うちから かいしゃまで どうやって 行きますか。 | 入門 |
| かず・りょう（number・quantity） | いくつ | いえに へやが いくつ ありますか。 | 入門 |
| | いくら | これは いくらですか。 | 入門 |
| | なん～ | しゅうに なんかいぐらいですか。 | 16 |
| | | たんじょうびは なんがつ なんにちですか。 | 17 |
| | どのぐらい／どのくらい | しゅうに どのぐらい ヨガを していますか。 | 16 |
| りゆう（reason） | どうして | どうしてですか。 | 3 |
| せんたく（choice） | どの | JF タウンは どの あたりですか。 | 5 |
| | どちら | おちゃと ジュース（と）、どちらが いいですか。 | りかい 11 |
| | どっち | ケーキは、チョコレートと りんご、どっちが いいですか。 | 11 |
| | どれ | この ページで わからない ことばは どれですか。 | りかい 10 |
| かんそう・いけん（comment） | どう | そっちの てんきは どうですか。 | 4 |
| | | 日よう日、まちあわせは どうしますか。 | 7 |
| | | 10 時に、ホテルの ロビーは どうですか。 | 7 |
| | | どうしたんですか。 | 10 |
| | | もう すこし どうですか。 | 12 |
| | いかが | フライトは いかがでしたか。 | 13 |

## 7 しじし (Demonstratives)

| | こ | そ | あ | ど |
|---|---|---|---|---|
| もの (thing) | これ | それ | あれ | どれ |
| ばしょ (place) | ここ | そこ | あそこ | どこ |
| ＋めいし (noun) | この N | その N | あの N | どの N |

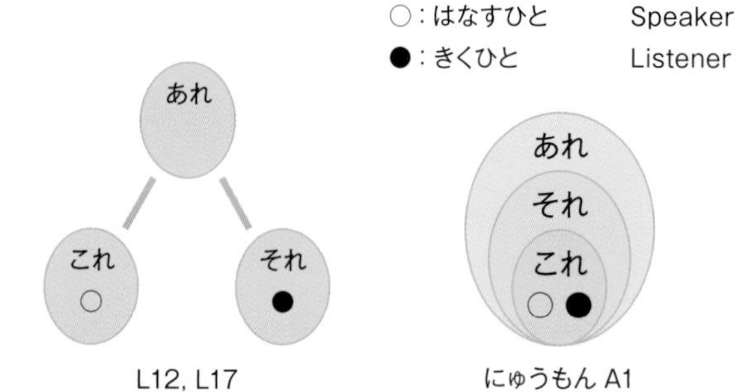

# かのまとめ　Lesson Review

話す Can-do、やりとり Can-do

## ◆ トピック1　わたしと かぞく

### だい１か　東京に すんでいます

◆ **かぞくや じぶんが どこに すんでいるか、なにを しているか かんたんに 話します** (Can-do 1)

わたしは すずき まり です。東京 に すんで(い)ます。

わたしの かぞくは 3にん です。おっと と むすめ です。

わたしは ホテル で はたらいて(い)ます。

◆ **かぞくや ともだちと なにごで 話すか 言います** (Can-do 2)

すずき まり です。日本人 です。わたしは 日本語と かんこくごと えいご が できます。

おっとは かんこくじんです。かんこくごと えいごが できます。日本語も すこし できます。

わたしたちは 日本語と かんこくご で 話します。

### だい２か　しゅみは クラシックを 聞くことです

◆ **しゅみについて 話します** (Can-do 3)

1 A：しゅみは なんですか。

B：クラシックを 聞くこと です。

A：そうですか。

B：とくに、バッハ が すきです。

2 A：ひまな とき、なにを しますか。

B：クラシックを 聞きます。

A：そうですか。

B：とくに、バッハ が すきです。

## ◆ トピック2　きせつと てんき

### だい３か　日本は いま、はるです

◆ **きせつの へんかについて かんたんに 話します** (Can-do 6)

A：日本／東京 は いま、どんな きせつですか。

B：いま、ふゆ です。さむいです よ。

A：そうですか。じゃあ、いつごろ あたたかく なります か。

B：そうですね。だいたい 3月ごろ です。

◆ **すきな きせつと その りゆうを かんたんに 話します** (Can-do 7)

A：すきな きせつは いつですか。

B：［あき］ です。／［あき］ が いちばん すきです。

A：どうしてですか。

B：［すずしいのが すきです／食べものが おいしいです］ から。

## だい４か　いい てんきですね

◆ **てんきについて 話して あいさつを します** (Can-do 8)

1 A：いい てんきですね。

B：そうですね。いい てんきですね。

2 A：きのうは よく ふりましたね。

B：ええ、すごい あめでしたね。

3 A：さむいですね。

B：ええ、さむいですね。

4 A：きのうは あつかったですね。

B：そうですね。あつかったですね。

◆ **でんわの かいわの はじめに てんきについて 話します** (Can-do 9)

A：もしもし、［ジョイさん］ ですか。［たなか］ です。

B：ああ、［たなかさん］ 、おげんきですか。

A：はい、げんきです。

こっちは ［いま、あめが ふってます。］

B：［たいへんです］ ね。

A：そっちは どうですか。

B：こっちは ［よく はれてます／いい てんきです］ よ。

A：そうですか。

# ◆ トピック３　わたしの まち

## だい５か　この こうえんは ひろくて、きれいです

◆ **ちずを 見ながら、じぶんの まちの おすすめの ばしょ／ちいきについて ともだちに 言います** (Can-do 10)

A：ここは ［ＪＦタウン］ です。

B：［ＪＦタウン］？

A：はい。この あたり（に）は ［いろいろな みせ］が あります。

B：そうですか。

A：にぎやかで、たのしいです よ。

B：いいですね。

◆ **ちずを 見ながら、ともだちが きょうみを もっている ところが どんな ところか、きを つける ことは なにか、言います。**(Can-do 11)

B： JFタウンは どの あたりですか。

A：この あたりです。みせや レストランが おおいです。

B：そうですか。

A： JFタウンは おしゃれだけど、ちょっと たかいです よ。

B：わかりました。

## だい６か　まっすぐ 行って ください

◆ **ちかくの ばしょへの 行きかたを 言います** (Can-do 12)

A：すみません、はくぶつかん は どこですか。

B：2つめの かど を みぎに まがって ください。

A：2つめの かど を みぎ ですね。ありがとうございます。

◆ **あいてが 聞きまちがえた ことを なおします** (Can-do 13)

A：すみません、はくぶつかん は どこですか。

B：2つめの かど を みぎに まがって ください。

A：1つめの かど を みぎ ですね。

B：いいえ、1つめ じゃなくて、2つめ ですよ。

A：あ、2つめ ですね。どうも ありがとうございます。

◆ **とおくに 見える たてものの とくちょうを 言います** (Can-do 14)

A：すみません、たいしかん に 行きたいんですが…。

B：たいしかん ？ あそこに しろくて 大きい たてもの が 見えますね。

A：はい。

B：たいしかん は あれです。まっすぐ 行って、すぐです よ。

A：どうも ありがとうございます。

# ◆ トピック4　でかける

## だい７か　10時でも いいですか

◆ **ともだちと まちあわせの じかんと ばしょについて 話します** (Can-do 15)

1 A：日よう日 、まちあわせは どうしますか。

B：そうですね。10時 に、JF ホテルの ロビー は どうですか。

A：10時 に、JF ホテルの ロビー ですね。わかりました。

B：じゃあ、また 日よう日 に。

A：じゃあ、また。

2 A：日よう日 、まちあわせは どうしますか。

B：そうですね。10時 、JF ホテルの ロビー は どうですか。

A：あのう、10時 は ちょっと…。11時 でも いいですか。

B：ええ、いいですよ。じゃあ、11時 に、JF ホテル で。

A：じゃあ、また。

◆ **おくれた りゆうを 言って あやまります** (Can-do 17)

A：おそく なって、すみません。ちょっと みちに まよって…。

B：だいじょうぶですよ。じゃあ、行きましょう。

A：はい。

## だい８か　もう やけいを 見に 行きましたか

◆ **おすすめの ばしょに ともだちを さそいます／さそいに こたえます** (Can-do 18)

1 A：もう タワーに 行きました か。

B：いいえ、まだです。

A：じゃあ、見に 行きませんか。 よる、やけいが きれいです よ。

B：いいですね。行きましょう。 ／すみません。タワー は ちょっと…。

2 A：もう タワーに 行きました か。

B：はい、行きました。

A：そうですか。じゃあ、どうぶつえん は？

◆ **ともだちに よりみちを したいと 言います** (Can-do 19)

A：あのう、ちょっと 水を 買いたいんですが…。

B：じゃあ、しょくじの あとで 、みせに 行きましょう。

A：すみません。

B：いいえ。

## ◆ トピック5　がいこくごと がいこくぶんか

## だい９か　日本語は はつおんが かんたんです

◆ **いつ、なにごを べんきょうしたか 話します** (Can-do 20)

◆ **いままでに べんきょうした がいこくごについて 話します** (Can-do 21)

A：いままでに どんな がいこくごを べんきょうしましたか。

B：こうこう の とき、スペインご を べんきょうしました。

A：そうですか。スペインご は どうですか。

B：スペインごは ぶんぽうが かんたんです。

／スペインごは 読むのが ちょっと むずかしいです。

A：いまも できますか。

B：ええ、すこし できますよ。／いまは、ちょっと…。

◆ **がいこくごや がいこくごの べんきょうについて こまった とき、だれかに たのみます ／たのまれて こたえます** (Can-do 23)

A：すみません、その じしょ 、かして くださいませんか。／かんじの 読みかた を おしえて くださいませんか。

B：いいですよ。／すみません。いま、ちょっと…。

## だい 10 か　いつか 日本に 行きたいです

◆ **がいこくの ぶんかと じぶんとの かかわりについて 話します** (Can-do 24)

A：どんな くにに きょうみが ありますか。

B：日本 です。

わたしは しゅうに 1 かい 日本語を べんきょうして（い）ます。

日本人の ともだちと ときどき 日本語で 話します。

しょうらい 日本に りゅうがくしたいです。

A：そうですか。

◆ **こまっている ひとに たすけを もうしでます／もうしでを うけます** (Can-do 25)

A：どうしたんですか。

B：えき に 行きたいんですが…。／みち が よく わかりません。

A：いっしょに 行きましょうか。

B：すみません。ありがとうございます。

# ◆ トピック6　そとで 食べる

## だい 11 か　なにを もっていきますか

◆ **ピクニックに もっていく ものについて 話します** (Can-do 27)

C：らいしゅうの ピクニック、食べもの は どうしますか。

A：わたしは サンドイッチ 、もっていきます。

C：A さん は サンドイッチ ですね。おねがいします。

B：じゃあ、わたしは サラダ 、もっていきます。

C：Bさん は サラダ ですね。おねがいします。

◆ **ピクニックの 食べものや 飲みものの きぼうを ぐたいてきに 聞きます／言います** (Can-do 29)

C：飲みもの は なにが いいですか。

A：わたしは おちゃ が いいです。

B：わたしは なんでも いいです。

C：じゃあ、おちゃ にします(ね)。

A,B：はい、おねがいします。

## だい 12 か　おいしそうですね

◆ **よく しらない 食べものについて 話します** (Can-do 30)

A：それ、なんですか。おいしそうです ね。

B：日本の おすし です。

A：おすし ですか。／ かんこくの キンパ と にてます。

B：どうぞ、食べてみて ください。／あじは ちょっと ちがいますよ。／あじも にてますよ。

A：じゃあ、1つ いただきます。

◆ **あじについて かんたんに コメントします** (Can-do 31)

A：やぎさん 、よかったら サラダ 、どうぞ。

B：はい、いただきます。この サラダ 、ちょっと からくて、おいしいです ね。

A：そうですか。もう すこし どうですか。

◆ **ともだちに 食べものを すすめます／すすめに こたえます** (Can-do 32)

1 A：どうぞ、食べてみて ください。

B：じゃあ、1つ いただきます。

2 A：やぎさん 、よかったら サラダ 、どうぞ。

B：はい、いただきます。

3 A：もう すこし どうですか。

B：ありがとうございます。でも、もう おなかが いっぱいです。／ もう けっこうです。

A：そうですか。

4 A：もう すこし どうですか。

B：じゃあ、もう すこし いただきます。

## ◆ トピック7　しゅっちょう

### だい 13 か　たなかさんに 会ったことが あります

◆ **でむかえの ために、しゅっちょうで 来る ひとや 来る 日について 話します** (Can-do 33)

A：タイラーさん 、たなかさん（を） 、しってますか。

B：はい、しってます。／はい。会ったこと、あります。

／いいえ。会ったこと、ありません。

A：たなかさん が 12日 に 来ます。くうこうに むかえに 行って ください。

B：はい、わかりました。12日 ですね。

◆ **でむかえの あいさつを します** (Can-do 34)

A：ようこそ、たなかさん。 おつかれさまでした。

B：おまたせしました。でむかえ、ありがとうございます。

A：フライトは いかがでしたか。／フライトは どうでしたか。

B：かいてきでしたよ。／まあまあでした。

A：そうですか。

◆ **ホテルの へやを チェックして、だいじょうぶか 言います** (Can-do 35)

A：ちょっと でんき 、チェックします。

B：あ、すみません。

A：でんき は だいじょうぶです。

B：そうですか。どうも ありがとう。

### だい 14 か　これ、つかっても いいですか

◆ **かいしゃの スタッフを しょうかいします** (Can-do 37)

A：こちらは ひしょの キャシーさん です。

B：たなかです。 どうぞ よろしく。

C：こちらこそ、どうぞ よろしく。

A：キャシーさん は 日本語、ぺらぺらです。 ／すこし できます。

B：そうですか。

◆ **オフィスの ものを つかっても いいか 聞きます** (Can-do 38)

A：すみません、コンピューター 、かりても いいですか。

B：はい、どうぞ。／すみません。いま、こわれてます。／いま、つかってます。

◆ **みおくりの あいさつを します** (Can-do 39)

A：タイラーさん 、みおくり、ありがとうございました。おせわに なりました。

B：いいえ。ほんしゃの みなさん に よろしく おつたえください。

A：わかりました。それじゃあ、また。

## ◆ トピック8　けんこう

### だい 15 か　たいそうすると いいですよ

**◆ ともだちに からだの ぐあいを 聞きます／こたえます** (Can-do 41)

A：どうしたんですか。

B：ちょっと くび が いたいんです。

A：だいじょうぶですか。

**◆ かんたんな たいそうの しかたを 聞きます／言います** (Can-do 42)

1 A：かた の たいそうです。こうやって ゆっくり かたを まわして ください。

B：かたを ゆっくり まわします。

A：どうですか。

B：きもちが いいです。

2 A：どうですか。

B：あ、ちょっと いたいです。

A：あまり むりを しないで くださいね。

**◆ からだに いいことを すすめます** (Can-do 43)

A：どうしたんですか。

B：ちょっと おなかが いたいんです。

A：だいじょうぶですか。ねる まえに、この くすりを 飲むと いいです よ。

B：ありがとうございます。

### だい 16 か　はしったり、およいだり しています

**◆ けんこうの ために している ことを かんたんに 話します** (Can-do 44)

1 A：けんこうの ために なにか してますか。

B：はい、ヨガ を してます。／はい、ヨガを したり、トレーニングを したり してます。

A：そうですか。どのぐらい してますか。

B：まいにち です。／トレーニング は しゅうに 2かい です。

A：そうですか。

2 A：けんこうの ために なにか してますか。

B：いいえ、なにも してません。

A：そうですか。

◆ **アンケートの けっかを かんたんな ことばで はっぴょうします** (Can-do 46)

[Aグループ] の こたえを 言います。

[スポーツを よく する] ひとは [3にん] です。

[ときどき する] ひとは [7にん] です。

[しない] ひとは [5にん] です。

## ◆ トピック9　おいわい

### だい17か　たんじょう日に もらったんです

◆ **ともだちの もちものを ほめます** (Can-do 47)

◆ **じぶんの もちものについて、いつ、だれに もらったかなどを かんたんに 話します** (Can-do 48)

A：その [ネックレス] 、[すてきです] ね。

B：これ、[たんじょうびに] [かれに もらったんです。]

A：そうですか。[いいです] ね。

B：ありがとうございます。

◆ **じぶんの くにの プレゼントの しゅうかんについて かんたんに 話します** (Can-do 49)

A：[よしださん] は／ [日本] では、[けっこん] の おいわいに どんな ものを あげますか。

B：[え] とか [とけい] を あげます。

／ [へやに かざる もの] が おおいです。たとえば、[え] とか [とけい] です。

### だい18か　パーティーが いいと おもいます

◆ **ともだちの おいわいを なんに するか 話します** (Can-do 50)

A：[あべさんの けっこん] の おいわい、どうしますか。

B：[パーティー] が いいと おもいます。

A：[パーティー] ですか。

B：ええ、[あべさん、みんなと 話したい] と 言ってました。

A：いいですね。

◆ **プレゼントを もらって おれいを 言います** (Can-do 53)

A：これ、おいわいの プレゼントです。[シンさんと わたし] からです。どうぞ。

B：どうも ありがとうございます。あけても いいですか。

A：はい、どうぞ。

B：[すてきな コーヒーカップ] ですね。ありがとうございます。

# こたえとスクリプト Answers and Audio Scripts

## ◆ トピック1　わたしと かぞく

### だい 1 か　東京に すんでいます　p22

❶

002・003

かぞくを しょうかい します。
なかむら まおさんの かぞく
まお：なかむら まおです。わたしの かぞくは 7（しち） にんです。
ちち、はは、あに、あね、わたし、おとうと、いもうとです。
A　：なかむら まおさんの かぞくは 7（しち） にんです。
おとうさん、おかあさん、おにいさん、おねえさん、まおさん、おとうとさん、いもうとさんです。

まお：なかむら まおです。わたしの そふです。わたしの そぼです。
A　：なかむら まおさんの おじいさんと おばあさんです。

まお：なかむら まおです。わたしの おじと おばです。
A　：なかむら まおさんの おじさんと おばさんです。

いしかわ いちろうさんの かぞく
いしかわ：いしかわ いちろうです。うちの かぞくは 4（よ） にんです。
つまと むすこと むすめと わたしです。
A　：いしかわ いちろうさんの かぞくは 4（よ） にんです。
おくさんと むすこさんと むすめさんと いちろうさんです。

❷

こたえ 1

| | 1 | 2 | 3 | 4 |
|---|---|---|---|---|
| (1) | a | d | b | c |
| (2) | 3(さんにん) | 4 (よにん) | 2 (ふたり) | 6(ろくにん) |
| (3) | f | i | j | h |

004-007 1

1
わたしは すずき まりです。とうきょうに すんでいます。
わたしの かぞくは 3（さん） にんです。おっとと むすめと わたしです。
わたしは ホテルで はたらいています。

2
わたしの あには ちゅうごくに すんでます。
かぞくは 4（よ） にんです。あに、あにの おくさん、むすこ ふたりです。
あには くるまの かいしゃで はたらいてます。

3
わたしの あねは イタリアに すんでます。
かぞくは ふたりです。あねと ごしゅじんです。
あねは がくせいです。イタリアで オペラを べんきょうしてます。

4
わたしの おばは ブラジルに すんでます。
おばは ははの いもうとです。
おばの かぞくは 6（ろく） にんです。
おばは しゅふです。いま、しごとは してません。

こたえ 2 （べんきょうして）（すんで）

❸

こたえ 1　1 (a) (c)　2 (a) (b)　3 (a) (c)　4 (b)

008-011 1

1
すずき まりです。にほんじんです。
にほんごと かんこくごと えいごが できます。
わたしの おっとは かんこくじんです。かんこくごと えいごが できます。にほんごも すこし できます。
わたしたちは にほんごと かんこくごで はなします。

2
わたしの あねは イタリアに すんでます。
にほんごと イタリアごと えいごが できます。かんこくごは できません。
あねと わたしの おっとは にほんごと えいごで はなします。

3
あには ちゅうごくの ペキンに すんでます。
ちゅうごくごが できます。かんこくごも すこし できます。
あにと おっとは にほんごと かんこくごで はなします。

4
おばは ブラジルに すんでます。
ポルトガルごと えいごが できます。かんこくごは できません。
おばと おっとは えいごで はなします。

## ◆ トピック1　わたしと かぞく

### だい 2 か　しゅみは クラシックを 聞くことです　p28

❶

012

しゅみは なんですか。
a りょうりを つくります
b アクセサリーを つくります
c おかしを つくります
d サッカーの しあいを みます
e えんげきを みます
f オペラを みます
g きってを あつめます

h コインを あつめます
i にんぎょうを あつめます
j えを かきます
k クラシックおんがくを ききます
l しゃしんを とります
m がいこくごを べんきょうします
n わたしの しゅみは しょうぎです
o わたしの しゅみは たこあげです
p わたしの しゅみは ドライブです

❷

こたえ 1 1（k） 2（m） 3（d） 4（a） 5（l）

013-017 1

1
A ：のださん、しゅみは なんですか。
のだ：しゅみですか。クラシックおんがくを きくことです。
A ：へえ、クラシックですか。
のだ：ええ。とくに バッハが すきです。
A ：そうですか。

2
A ：さとうさん、しゅみは なんですか。
さとう：わたしの しゅみは がいこくごを べんきょうすることです。
A ：そうですか。なにごを べんきょうしましたか。
さとう：えいごと ドイツごを べんきょうしました。
A ：ふうん、すごいですね。

3
A ：ヤンさんの しゅみは なんですか。
ヤン：サッカーの しあいを みることです。
A ：へえ。サッカーですか。
ヤン：とくに バルセロナの チームが すきです。
A ：そうですか。
ヤン：こどもの とき よく サッカーしました。いいですよ、サッカー。

4
A ：たなかさんの しゅみは なんですか。
たなか：りょうりです。たべることも つくることも すきですよ。
A ：へえ。
たなか：ひまな とき よく りょうりを つくります。
とくいな りょうりは カレーです。
A ：わあ、いいですね。

5
A ：ジョイさん、しゅみは なんですか。
ジョイ：しゅみですか。わたしの しゅみは でんしゃの しゃしんを とることです。
A ：へえ。でんしゃの しゃしん。
ジョイ：ええ。わかい とき よく でんしゃで りょこうしました。
いまは しゃしん。
A ：ああ、そうですか。

こたえ 2
（1）（とること）（あつめること）
（2）（c）（a）（b）（がくせいの）（ひまな）

❸

こたえ 1 りょうりをつくること

018 1

たなかしんいちです。しゅみは りょうりを つくることです。
ひまな とき、よく りょうりを つくります。
ええと、とくいな りょうりは カレーです。

## ◆ トピック2 きせつと てんき

## だい３か 日本は いま、はるです p34

❶

019

にほんの きせつ

３（さん）がつ、４が（し）がつ、５（ご）がつは はるです。はるは あたたかいです。
６（ろく）がつは つゆです。あめの きせつです。つゆは むしあついです。
７（しち）がつ、８（はち）がつは なつです。なつは とても あついです。
９（く）がつ、10（じゅう）がつ、11（じゅういち）がつは あきです。あきは すずしいです。
12（じゅうに）がつ、１（いち）がつ、２（に）がつは ふゆです。ふゆは とても さむいです。
８（はち）がつの きおんは 30.8（さんじゅっ てん はち）どです。
１（いち）がつの きおんは 2.1（に てん いち）どです。

うき、うきは あめが よく ふります。
かんき、かんきは あめが ふりません。

❷

こたえ 1

| | 1 | 2 | 3 | 4 |
|---|---|---|---|---|
| （1） | d | b | a | c |
| （2） | （3）がつ | （9）がつ | （7）がつ | （12）がつ |

020-023 1

1
A：にほんは いま、どんな きせつですか。
B：いま ふゆです。とうきょうは さむいですよ。みんな コートです。
A：へえ、そうですか。じゃ、いつごろ あたたかく なりますか。
B：だいたい ３（さん）がつごろです。
A：ああ、３（さん）がつですか。

2
A：にほんは いま、どんな きせつですか。
B：とうきょうは いま あついですよ、なつですから。こどもたちは なつやすみです。
A：へえ、そうですか。じゃ、いつごろ すずしく なりますか。
B：だいたい ９（く）がつごろです。
A：９（く）がつ。そうですか。

3
A：にほんは いま、どんな きせつですか。

B：いまは はる、あたたかいですよ。おおさかは いま、さくらが きれいですよ。
A：へえ、さくらですか。いいですね。じゃ、いつごろ あつく なりますか。7（しち） がつごろ?
B：そうですね、だいたい 7(しち) がつごろ、あつく なりますよ。
A：そうですか。

4
A：にほんは いま どんな きせつですか。
B：いま あきです。すずしいですよ。たべものも おいしいです。
A：へえ、おいしい きせつ、いいですね。じゃ、いつごろ さむく なりますか。
B：そうですね、だいたい 12（じゅうに） がつごろ、さむく なりますよ。
A：ああ、12（じゅうに） がつですか。

こたえ 2 （すずしく）（あきに）（さむく）（ふゆに）

❸

こたえ 1 1（a e） 2（b f） 3（d h） 4（c g）

024-027 1

1
A　　：やまださん、すきな きせつは いつですか。
やまだ：はるです。
A　　：はる。どうしてですか。
やまだ：あたたかいのが すきですから。
A　　：ああ、そうですか。

2
A　　：アニスさん、すきな きせつは いつですか。
アニス：わたしは あつい きせつ、なつが すきです。
A　　：なつ。へえ、どうしてですか。
アニス：さむいのが にがてですから。ふゆは だめです。
A　　：ああ、そうですか。

3
A　　：カールさん、すきな きせつは いつですか。
カール：わたしは ふゆが いちばん すきです。
A　　：へえ、どうして ふゆが すきですか。
カール：スキーが できますから。スキーが しゅみなんです。
A　　：ああ、そうですか。

4
A　　：おがわさん、すきな きせつは いつですか。
おがわ：わたしは あきが いちばん すきです。
A　　：あきですか。どうしてですか。
おがわ：あきは もみじが きれいですから。
A　　：ああ、そうですか。

こたえ 2 （1）（すずしいの）（さむいの）

## ◆ トピック2　きせつと てんき

### だい４か　いい てんきですね　p40

❶

028 1

（1） どんな てんきですか。
1 はれ、はれます、いい てんきです
2 くもり、くもります
3 あめ、あめが ふります
4 ゆき、ゆきが ふります
5 かぜ、かぜが ふきます
6 さむいです
7 あついです

029 2

（2） せかいの てんき
とうきょう：はれ、ソウル：はれ、ペキン：はれ、ジャカルタ：あめ、シドニー：はれ、モスクワ：ゆき、カイロ：はれ、ロンドン：くもり、ニューヨーク：はれ、ロサンゼルス：あめ、サンパウロ：くもり

❷

こたえ 1

（1） 1（a） 2（b） 3（d） 4（c）
（2）（2）（4）

030-033 1

1
A：あ、おはようございます。
B：おはようございます。
A：きょうは いい てんきですね。
B：そうですね。いい てんきですね。きもちが いいですね。

2
A：おはようございます。きのうは よく ふりましたね。
B：ええ、すごい あめでしたね。

3
A：こんにちは。
B：こんにちは。
A：きょうは さむいですね。
B：ええ、さむいですね。

4
A：こんにちは。きのうは あつかったですね。
B：そうですね。あつかったですね。たいへんでしたね。

こたえ 2

（1）（くもりでした）（さむいです）（あつかったです）（ふります）

❸

こたえ 1 1（a） 2（c）（e） 3（b） 4（d）

034-037 1

1
A：おはようございます。とうきょうの てんきです。とうきょうは いま よく はれています。とても いい てんきです。

2
B：ふくおかの きょうの てんきです。ふくおかは あめが ふっています。かぜも ふいています。つよい かぜです。きょうの てんきは たいへんです。

3
C：こちらは とやまです。こっちは あさから くもっています。さむいです。たぶん ごごは ゆきです。

4
D：ほっかいどうの さっぽろからです。いま こっちは ゆきが ふっています。50（ごじゅっ）センチぐらい つもっています。

こたえ 2 （ふいて）（くもって）

こたえ 3 1（f）（b） 2（e）（c） 3（d） 4（a）

038-041 3

1
たなか：もしもし、ジョイさん？ たなかです。
ジョイ：ああ、たなかさん、おげんきですか。
たなか：はい、げんきです。こっちは あついですよ。
ジョイ：たいへんですね。
たなか：はい。そっちは どうですか。
ジョイ：こっちは さむいですよ。きょうは くもってます。
たなか：ああ、くもりですか。

2
たなか：もしもし、タンさん？ たなかです。
タン：ああ、たなかさん。おげんきですか。
たなか：はい。こっちは きょう あたたかいですよ。
タン：そうですか。
たなか：はい。そっちは どうですか。
タン：こっちは まいにち あついですよ。そして いま あめが ふってます。すごい あめですよ。
たなか：そうですか。あめは たいへんですね。

3
たなか：もしもし、エスターさん？ とうきょうの たなかです。おげんきですか。
エスター：ああ、たなかさん。はい、おかげさまで げんきです。
たなか：ロンドンは いま どうですか。
エスター：こっちは いま ゆきが ふってますよ。
たなか：へえ、ゆきですか。こっちは よく はれて、いい てんきです。
エスター：いいですねえ。とうきょうに いきたいです。

4
たなか：もしもし、パウロさんですか？ とうきょうの たなかです。げんき？
パウロ：ああ、たなかさん、おひさしぶりです。
たなか：そっちは どうですか。
パウロ：きょうは いい てんきですよ。よく はれてます。
たなか：ああ、いい てんきですか。
パウロ：はい。きのうは あめだったんですが…。
たなか：ああ、そうですか。

## ◆ トピック3 わたしの まち

### だい5か この こうえんは ひろくて、きれいです p48

❶

042

1 うえのこうえんは とても ひろいです。こうえんの なかに、どうぶつえんが あります。
2 あきはばらは でんきてんが おおいです。とても べんりです。
3 とうきょうえきは おおきいです。とうきょうえきの ちかくに こうきょが あります。こうきょは しずかです。
4 つきじの うおいちばは おもしろいです。
5 ぎんざは ゆうめいな みせが おおいです。ぎんざの まちは おしゃれです。
6 はらじゅくには かわいい みせが あります。わかい ひとが おおいです。
7 しんじゅくの にしぐちは たかい ビルが おおいです。ひがしぐちは いざかやが おおいです。よる、とても にぎやかです。

❷

こたえ 1

| | 1 あきはばら | 2 はらじゅく | 3 こうきょ | 4 うえの こうえん |
|---|---|---|---|---|
| （1）なにが？ | a | d | b | c |
| （2）どんな ところ？ | やすい | ウ | オ | ア |
| | エ | カ | きもちが いい | イ |

043-046 1

1
ワン：よしださん、とうきょうは どこが おもしろいですか。
よしだ：そうですね。あ、ワンさん、ここは あきはばらです。
ワン：あきはばら？
よしだ：はい。この あたりは でんきてんが たくさん あります。
ワン：ふうん。そうですか。
よしだ：やすくて、べんりですよ。
ワン：いいですね。

2
ゆうこ：ワンさん、ここは はらじゅくです。
ワン：はらじゅく？
ゆうこ：ええ。この あたりには かわいい ファッションの みせが たくさん あります。
ワン：わあ。わかい ひとが おおいですか。
ゆうこ：ええ、おおいです。いつも にぎやかで、たのしいですよ。
ワン：じゃあ、いってみます。

3
ゆうこ：あ、ここは とうきょうです。
ワン：とうきょう？ とうきょうえきですか。
ゆうこ：はい、そうです。えきの ちかくに こうきょが あります。
ワン：こうきょですか。
ゆうこ：ええ。この あたりは しずかで、きもちが いいですよ。ジョギングコースも あります。
ワン：ジョギングコース。いいですね。

4
よしだ：ワンさん、ここは うえのこうえんです。
ワン　：うえのこうえん。
よしだ：ええ。こうえんの なかに、コーヒーショップ や どうぶつえんが あります。
ワン　：へえ、どうぶつえんも。いいですね。
よしだ：この こうえんは ひろくて、きれいですよ。ぜひ いってみてください。
ワン　：はい、いってみます。

こたえ 2 （しずかで）（ひろくて）

❸

こたえ 1

| | 1 | 2 | 3 | 4 |
|---|---|---|---|---|
| （1）なにが？ | c | b | a | d |
| （2）どんなところ？ | おしゃれ | ウ | ア | イ |
| | オ | エ | あさ はやい | カ |

047-050 1

1
ワン　：ゆうこさん、おしゃれな まちは どの あたりですか。
ゆうこ：そうですね。このあたり。ぎんざです。おしゃれな みせが おおいです。
ワン　：ふうん、そうですか。
ゆうこ：でも、ワンさん、ゆうめいな みせは おしゃれだけど、ちょっと たかいですよ。
ワン　：わかりました。でも、いってみます。

2
ワン　：あのう、しんじゅくは どの あたりですか。
ゆうこ：えっと、ここです。にしぐちは、たかい ビルが たくさん あります。それから、この あたりは ゲームセンターや いざかやが おおいです。
ワン　：ああ、そうですか。
ゆうこ：この あたりは にぎやかだけど、よるは ちょっと あぶないですよ。
ワン：そうですか。じゃあ、ともだちと いきます。

3
ワン　：あのう、ゆうめいな うおいちばは どの あたりですか。
よしだ：ああ、つきじですね。この あたりですよ。
ワン　：おもしろいですか。
よしだ：ええ。とても おもしろいけど…、あさ はやいですよ。
ワン　：え、あさ はやい…。
ゆうこ：ワンさん、あさ はやいけど、おもしろいですよ。ぜひ いってみてください。
ワン　：はい、がんばります。

4
ワン　：あのう、ふじさんは どの あたりですか？
よしだ：ええっと、ふじさんは、この ちずには ありませんねえ。
ワン　：え、そうですか。
よしだ：ワンさん、ふじさんは きれいだけど、ちょっと とおいですよ。バスで 3（さん） じかんぐらいです。
ワン　：はい。
ゆうこ：ワンさん、ふじさん、ここから とおいけど、とても いいですよ。いっしょに いきましょう。
ワン　：え、ありがとうございます。おねがいします。

こたえ 2 （おもしろいけど）（きれいだけど）

## ◆ トピック3　わたしの まち

### だい６か　まっすぐ 行って ください　p54

❶

051

（1）まちに なにが ありますか。
1　あそこに ひろい とおりが ありますね。
　／あそこに ひろい みちが ありますね。
2　あそこに しんごうが ありますね。
3　あそこに かどが ありますね。
4　あそこに こうさてんが ありますね。
5　あそこに あかい はしが みえますね。
6　あそこに たかい タワーが みえますね。
7　あそこに あおい ビルが みえますね。
　／あそこに あおい たてものが みえますね。

052

（2）どうやって いきますか。
1　まっすぐ いきます。
2　ひだりに まがります。
3　みぎに まがります。
4　はしを わたります。
5　ひとつめの かど、ひとつめの かどを みぎに まがります。
6　ふたつめの かど、ふたつめの かどを ひだりに まがります。

❷

こたえ 1　1（b）　2（a）　3（c）　4（b）

053-056 1

1
パウロ：すみません、はくぶつかんは どこですか。
A　　：はくぶつかんは ふたつめの かどを みぎに まがって ください。
パウロ：ひとつめの かどを みぎに…。
A　　：あ、ひとつめじゃなくて、ふたつめですよ。
パウロ：ああ、ふたつめの かどを みぎですね。ありがとうございます。

2
パウロ：すみません、ホテルは どこですか。
B　　：ええ、ホテルは この とおりを まっすぐ いって ください。そして、ふたつめの かどを ひだりに まがって ください。
パウロ：ふたつめの かどを みぎ…、ひだり…？
B　　：ひだりです。みぎじゃなくて、ひだりです。
パウロ：ふたつめの かどを ひだりですね。ありがとうございました。

3
パウロ：すみません、デパートは どこですか。

C　　：デパート？ええっと、この みちを まっすぐ いって ください。そして、ひとつめの しんごうを みぎに いって ください。
パウロ：ひとつめの しんごう、どっち、ひだり？
C　　：しんごうを ひだりじゃなくて、みぎです。
パウロ：みぎですね。わかりました。

4
パウロ：すみません、たいしかんは どこですか。
D　　：たいしかんは ひとつめの しんごうを ひだりに まがって ください。
パウロ：え、ふたつめの しんごうを ひだり…ですか。
D　　：ううん、ふたつめじゃなくて、ひとつめです。
パウロ：ああ、ひとつめを ひだりですね。わかりました。

こたえ 2
（1）（まがって）（わたって）
（2）（みぎじゃなくて）（ひだりじゃなくて）

❸

こたえ 1　1（c）　2（b）　3（d）　4（a）

057-060 1

1
A：すみません、たいしかんに いきたいんですが。
B：たいしかんですか。ええっと、あそこに しろくて おおきい たてものが みえますね。
A：しろくて おおきい たてもの。はい。
B：たいしかんは あれです。この みちを まっすぐ いって、すぐですよ。
A：はい、どうも ありがとうございます。

2
A：すみません、あさひはくぶつかんに いきたいんですが。
B：あさひはくぶつかん？ええっと、あそこに まるくて おもしろい たてものが みえますね。
A：まるくて おもしろい たてもの。はい。
B：はくぶつかんは あれですよ。かどを みぎに まがって、すぐです。
A：あ、そうですか。どうも ありがとうございます。

3
A：あのう、すみません、ふじホテルに いきたいんですが。
B：ふじホテルですか。ええと、あそこに あかくて たかい タワーが みえますね。
A：あかくて たかい タワー、はい。
B：あの タワーの となりですよ。
A：タワーの となり？ あ、そうですか。
B：はしを わたって、すぐですよ。
A：どうも すみません。

4
A：あのう、ゆうびんきょくに いきたいんですが。
B：ゆうびんきょく？ あそこに あおくて ほそながい ビルが みえますね。
A：あ、はい。あおくて ほそながい ビル、あそこですね。
B：ゆうびんきょくは あの ビルの なかに ありますよ。
A：あ、ビルの なかですか。わかりました。
B：しんごうを みぎに まがって、まっすぐ いって ください。
A：はい、どうも すみません。

こたえ 2
（1）（あかくて たかい）（あおくて ほそながい）
（2）（わたって）（いって）

## ◆ トピック4　でかける

### だい７か　10時でも いいですか　p62

❶

061

（1）なんじに あいますか。
10（じゅう）じに あいます。
4（よ）じはんに あいます。

でかけます。ともだちと でかけます。
まちあわせを します。ともだちと まちあわせを します。
えきに いきます。
ともだちを まちます。
じかんに おくれます。
ともだちが きます。

062

（2）どこで あいますか。
a　ホテルの ロビーで あいます。
b　デパートの いりぐちで あいます。
c　えきの まえで あいます。
d　コーヒーショップで あいます。

❷

こたえ 1

| | 1 | 2 | 3 | 4 |
|---|---|---|---|---|
| （1） | 10：00 | 1：30 | 5：00 | 8：30 |
| （2） | a | b | d | a |

063-066 1

1
タイラー：あべさん、にちようび、まちあわせは どうしますか。
あべ　　：そうですね。10（じゅう）じに、ホテルの ロビーは どうですか。
タイラー：10（じゅう）じに ホテルの ロビーですね。わかりました。
あべ　　：じゃあ、また にちようびに。
タイラー：じゃあ、また。

2
タイラー：にちようび、まちあわせは どうしますか。
よしだ　：そうですね。1（いち）じはんに、ふじデパートの いりぐちは どうですか。
タイラー：ええっと、1（いち）じはん、1（いち）じはんに、ふじデパートの いりぐちですね。わかりました。
よしだ　：じゃ、また にちようびに。
タイラー：はい、たのしみです。

3
タイラー：どようびの まちあわせ、どうしますか。
さとう　：そうですね。4（よ）じはんに、コーヒーショップは どうですか。
タイラー：あのう、4（よ）じはんは ちょっと…。5（ご）じでも いいですか。
さとう　：ええ、いいですよ。じゃあ、5（ご）じに、コーヒーショップで あいましょう。
タイラー：すみません。

4
タイラー：どようび、まちあわせ、どうしますか。
きやま　：そうですね。ちょっと はやいけど、8（はち）じはんに、とうきょうえきは どうですか。
タイラー：ええ、とうきょうえき…。すみません、ホテルの ロビーでも いいですか。
きやま　：いいですよ。じゃあ、どようび、8（はち）じはんに ホテルの ロビーで。
タイラー：はい、よろしく おねがいします。

こたえ 2 （でも）（いいですか）

❸

こたえ 1 1（b） 2（a） 3（d） 4（c）

❹

こたえ 1

| | 1 | 2 | 3 | 4 |
|---|---|---|---|---|
| （1） | ○ | ○ | × | ○ |
| （2） | c | a | ― | d |

067-070 1

1
タイラー：あべさん、おそく なって、すみません。ちょっと じかんを まちがえて…。
あべ　　：だいじょうぶですよ。わたしも よく まちがえます。じゃあ、いきましょう。
タイラー：はい。

2
タイラー：おそく なって、すみません。ちょっと みちに まよって…。
よしだ　：だいじょうぶですよ。ここは えきから とおいですから、たいへんでしたね。
タイラー：ええ。

3
タイラー：さとうさん、こんにちは。
さとう　：あ、タイラーさん、こんにちは。タイラーさん、はやいですね。
タイラー：ははは。じゃあ、いきましょう。
さとう　：はい。

4
タイラー：おそく なって、すみません。ちょっと じゅうたいで…。
きやま　：じゅうたい？ それは たいへんでしたね。
タイラー：はい。

こたえ 2 （とまって）（まちがえて）（で）

## ◆ トピック4　でかける

### だい８か　もう やけいを 見に 行きましたか　p68

071

どこに いきますか。
a　びじゅつかんに いきます。ゆうめいな えが あります。
b　はくぶつかんに いきます。まちの れきしが わかります。
c　すいぞくかんに いきます。めずらしい さかなが います。
d　どうぶつえんに いきます。かわいい どうぶつが います。
e　タワーに いきます。せかいいち たかいです。
　よる、やけいが きれいです。
f　やたいに いきます。おいしい ラーメンを たべます。
g　すいじょうバスに のります。
　よる、ライトアップが きれいです。

❷

こたえ 1

| | 1 | 2 | 3 | 4 |
|---|---|---|---|---|
| （1） | a | e | f | g |
| （2） | ○ | ○ | ○ | × |

072-075 1

1
あべ　　：タイラーさん、もう びじゅつかんに いきましたか。
タイラー：びじゅつかんですか。いいえ、まだです。
あべ　　：じゃあ、いきませんか。ゆうめいな えが たくさん ありますよ。
タイラー：いいですね。いきましょう！

2
よしだ　：あのう、もう とうきょうスカイツリー、みましたか。
タイラー：スカイツリー？
よしだ　：あ、たかい タワーです。せかいいちですよ。
タイラー：ああ、タワー。いいえ、まだです。
よしだ　：じゃあ、みに いきませんか。よる、やけいが きれいですよ。
タイラー：いいですね。いきましょう！

3
さとう　：タイラーさん、もう おすし、たべましたか。
タイラー：はい、たべました。ホテルで。
さとう　：そうですか。じゃあ、ラーメンは？
タイラー：いいえ、まだです。
さとう　：じゃあ、やたいに ラーメン、たべに いきませんか。おいしいですよ。
タイラー：やたい？ いいですね。いきましょう！

4
きやま　：あのう、もう すいじょうバスに のりましたか。

タイラー：すいじょうバス?
きやま　：ええっと、ちいさい ふねです。
タイラー：ああ、ふねですか。いいえ。
きやま　：よる、ライトアップが きれいですよ。あとで のりませんか。
タイラー：ううん、わたし、ふねは ちょっと…。
きやま　：そうですか。

こたえ 2
（1）（たべに）（かいに）
（2）（のりませんか）（のりましょう）（たべに いきませんか）（いきましょう）

❸

こたえ 1

| | 1 | 2 | 3 | 4 |
|---|---|---|---|---|
| （1） | a | d | b | c |
| （2） | あと | まえ | まえ | あと |

076-079 1

1
タイラー：すみません、あべさん、ちょっと みずを かいたいんですが…。
あべ　　：みずですか。じゃあ、しょくじの あとで、みせに いきましょう。
タイラー：しょくじの あとですね。すみません。
あべ　　：いいえ。

2
タイラー：あべさん、すみません、わたし、ちょっと りょうがえしたいんですが…。
あべ　　：りょうがえですか。じゃあ、しょくじの まえに、いきましょう。
タイラー：しょくじの まえですね。ありがとうございます。
あべ　　：いいえ。

3
タイラー：あのう、すみません、ちょっと おみやげを かいたいんですが…。
あべ　　：おみやげですか。ええっと、じゃあ、しょくじの まえに、みせに いきましょう。
タイラー：しょくじの まえ? じかん、だいじょうぶですか。
あべ　　：ええ、だいじょうぶです。

4
タイラー：あべさん、すみません、この みせに いきたいんですが…。
あべ　　：どれですか。ああ、この みせは レストランに ちかいですね。じゃあ、しょくじの あとでも いいですか。
タイラー：はい、もちろん。
あべ　　：じゃあ、しょくじの あとで、いきましょう。
タイラー：すみません。

こたえ 2 （かいたい）（いきたい）

## ◆ トピック5　がいこくごと がいこくぶんか

### だい９か　日本語は はつおんが かんたんです　p74

❶

080

（1）いままでに どんな がいこくごを べんきょうしましたか。
　a しょうがっこう
　b ちゅうがっこう
　c こうこう
　d だいがく
　しょうがっこうの とき、えいごを べんきょうしました。
　ちゅうがっこうの とき、フランスごを べんきょうしました。
　こうこうの とき、かんこくごを べんきょうしました。
　だいがくの とき、ドイツごを べんきょうしました。

081

（2）どうやって べんきょうしますか。
　にほんごを はなします。
　ちゅうごくごを かきます。
　かんこくごを ききます。
　えいごを よみます。
　はつおんを れんしゅうします。もじを れんしゅうします。
　たんごを おぼえます。たんごの いみを おぼえます。
　ぶんを おぼえます。ぶんぽうを おぼえます。

082

（3）にほんごの べんきょうは どうですか。
　ひらがなは カタカナと にています。
　にほんごの もじは えいごの もじと ちがいます。
　e にほんごは かんたんです。
　f にほんごは おもしろいです。
　g にほんごは むずかしいです。
　h にほんごは むずかしくないです。
　i にほんごの べんきょうは たいへんです。

❷

こたえ 1

| | 1 | 2 | 3 | 4 |
|---|---|---|---|---|
| （1）いつ | c | a | d | いま |
| （2） | h | もじ f<br>かきます g | たんご i<br>はなします f | はつおん e<br>よみます i |

083-086 1

1
A　　：カーラさんは いままでに どんな がいこくごを べんきょうしましたか。
カーラ：わたしは こうこうの とき、スペインごを べんきょうしました。
A　　：へえ、こうこうで。スペインごは どうですか。
カーラ：そうですね。スペインごは ぶんぽうが むずかしくないです。フランスごと にてますから。
A　　：ああ、そうですか。

2
A　　：ケイトさんは いままでに どんな がいこくごを

べんきょうしましたか。
ケイト：がいこくご？しょうがっこうの とき、ちゅうごくごを べんきょうしましたよ。
A　：へえ、しょうがっこうで。ちゅうごくご、どうですか。むずかしいですか。
ケイト：うーん。ちゅうごくごは もじが おもしろいです。えいごと ちがいますから。
A　：そうですか。
ケイト：でも、かくのが ちょっと むずかしいです。
A　：そうですか。

3
A　：のださんは いままでに どんな がいこくごを べんきょうしましたか。
のだ：わたしですか？だいがくの とき、アラビアごを べんきょうしました。
A　：へえ。どうですか、アラビアご。むずかしいですか。
のだ：いやあ、たんごが たいへんです。にほんごと ぜんぜん ちがいますからね。でも、アラビアごは はなすのが おもしろいですよ。
A　：ふうん、すごいですね。いまも、できますか。
のだ：え？ははは、できますよ。…たぶん。

4
A　：フリオさんは いま なにか がいこくごを べんきょうしてますか。
フリオ：はい。いま、にほんごを べんきょうしてます。
A　：どうですか、にほんご。だいじょうぶですか。
フリオ：はい、はなすのは だいじょうぶです。にほんごは はつおんが かんたんですから。
A　：そうですか。
フリオ：でも、よむのが ちょっと たいへんです。
A　：がんばってくださいね。

こたえ 2 （1）（が）（は）（が）
（2）（はなすの）（おぼえるの）

❹

こたえ 1

| | 1 | 2 | 3 | 4 |
|---|---|---|---|---|
| （1） | a | c | d | b |
| （2） | ○ | ○ | × | ○ |

087-090 1

1
A：すみません、その じしょ、かして くださいませんか。
B：この じしょですか。いいですよ。はい、どうぞ。
A：ありがとうございます。

2
B：あした 10（じゅう）じに ホテルの ロビーで まちあわせしましょう。
A：あのう、すみません。もういちど いって くださいませんか。
B：あした 10（じゅう）じに ホテルの…。

3
A：あのう、ちょっと いいですか。
B：はい、なんですか。
A：あのう、この でんしじしょの つかいかた、おしえて くださいませんか。
B：でんしじしょねえ…。ううん、わたしも よく わかりません。すみません。
A：あ、そうですか。

4
A：ちょっと いいですか。
B：はい、なんですか。
A：この かんじの よみかた、おしえて くださいませんか。
B：これは「ほんじつきゅうぎょう」です。
A：「ほんじゅつきゅうぎょう」？ いみは なんですか。
B：「きょうは やすみです」という いみですよ。
A：ああ、そうですか。どうも ありがとうございます。

こたえ 2
（1）（おしえて）（かいて）
（2）（つかいかた）（の）（よみかた）

## ◆ トピック5　がいこくごと がいこくぶんか

### だい 10 か　いつか 日本に 行きたいです　p80

❶

091

どんな くにに きょうみが ありますか
メキシコに きょうみが あります
a メキシコりょうりを たべます
b タイの ダンスを ならいます
c ロシアの おんがくを ききます
d インドの ざっしを よみます
e ドイツじんの ともだちと はなします
f スペインごを べんきょうします
g フランスの サイトを みます
h にほんに りょこうに いきます
i かんこくの ドラマを みます
j アメリカに りゅうがくします
k イギリスで はたらきます
l ちゅうごくに しゅっちょうします
m がいこくごの きょうしに なります
n がいこくごの つうやくに なります
o がいこくの ほんを ほんやくします

❷

こたえ 1

| | 1 | 2 | 3 | 4 |
|---|---|---|---|---|
| （1） | かんこく | タイ | フランス | にほん |
| （2） | i c | e h | g f | f a |
| （3） | h | b | k | n |

092-095 1

1
A　：おがわさんは どんな くにに きょうみが ありますか。
おがわ：かんこくです。わたしは かんこくの ドラマが すきです。
A　：あ、わたしもです。かんこくドラマ、おもしろいですよね。

おがわ：ええ、かんこくの おんがくも よく ききます。いつか かんこくに りょこうに いきたいです。
A　　：そうですか。

2
A　　：かわいさんは、どんな くにに きょうみが ありますか。
かわい：タイに きょうみが あります。タイじんの ともだちと よく はなしますよ。
A　　：へえ、タイじんの ともだちと…、いいですね。
かわい：ええ、ねんに 1（いっ）かいぐらい タイに りょこうに いきます。いつか タイの ダンスを ならいたいです。
A　　：そうですか。

3
A　　：きやまさんは どんな くにに きょうみが ありますか。
きやま：フランスです。フランスに きょうみが あります。
A　　：そうですか。どんな ことを していますか。
きやま：よく フランスの サイトを みます。おもしろいですよ。
A　　：へえ、サイト？ フランスご、わかりますか。
きやま：ええ、しゅうに 1（いっ）かい フランスごを べんきょうしています。いつか フランスで はたらきたいです。

4
A　　　　：ムハンマドさん、どんな くにに きょうみが ありますか。
ムハンマド：にほんに きょうみが あります。いま だいがくで にほんごを べんきょうしています。
A　　　　：だいがくで、にほんごですか。べんきょう、どうですか。
ムハンマド：むずかしいけど、おもしろいです。にほんりょうりも だいすきですから、つきに 2（に）かいぐらい たべますよ。
A　　　　：いいですね。じゃ、しょうらいは？
ムハンマド：わたしは しょうらい にほんごの つうやくに なりたいです。

こたえ 2
（1）（はたらきたい）（みたい）
（2）（ c ）（ a ）（ b ）

❸

こたえ 1　1（a）　2（c）　3（b）　4（d）

096-099 1

1
A　：あのう、どうしたんですか。
アリ：えきに いきたいんですが…。みちが よく わかりません。
A　：いっしょに いきましょうか。わたしも えきに いきますから。
アリ：え、ほんとうですか。すみません。

2
A　：どうしたんですか。
アリ：あのう、きっぷの かいかたが よく わかりません。
A　：てつだいましょうか。
アリ：すみません。ええと、よよぎまで いきます。
A　：よよぎですか。まず おかねを いれて…。

3
A　：あのう、どうしたんですか。
アリ：この ばしょに いきたいんですが…。
A　：ちょっと みましょうか。…あ、あそこですね。
アリ：どうも ありがとうございます。

4
A　：どうしたんですか。
アリ：むこうの ひとの はなしが よくわかりません。
A　：そうですか。かわりに はなしましょうか。
アリ：え、いいですか。すみません。おねがいします。

こたえ 2　（はなしましょうか）（かいましょうか）
（みましょうか）

❹

こたえ　（1）5　（2）10：00

## ◆ トピック6　そとで 食べる

### だい 11 か　なにを もっていきますか　p90

❶

100

ピクニックを します。
おにぎりと おちゃを もっていきます。
サンドイッチと サラダを もっていきます。
たまごやきと からあげを もっていきます。
おかしと のみものを もっていきます。
くだものと ワインを もっていきます。
ジュースと コップを もっていきます。

❷

こたえ 1　1（b）（k）　2（t）（l）　3（g）　4（o）（a）

101-104 1

1
パク：らいしゅうの ピクニック、たべものは どうしますか。
あべ：わたしは おにぎり、もっていきます。あ、ケーキも もっていきます。
パク：はい、じゃあ、あべさんは おにぎりと ケーキ、おねがいします。

2
パク　：のみものは どうしますか。
カーラ：わたし、ワイン、もっていきます。
パク　：ワイン。いいですね！
カーラ：ええ。ワインと くだものも もっていきますよ。
パク　：じゃあ、カーラさんは ワインと くだもの、おねがいします。

3
やぎ：じゃあ、わたしは…サンドイッチ、もっていきます。
あべ：やぎさん、じぶんで つくりますか。

やぎ：いいえ、みせで かっていきます。うちの ちかくに おいしい サンドイッチの みせが ありますから、いろいろ かっていきます。
あべ：じゃあ、やぎさんは サンドイッチ、おねがいします。

4
パク：じゃあ、わたしは のみもの、もっていきます。それから、かんこくの たべものも。
あべ：えっ、パクさん、かんこくの たべもの？
パク：はい、なにか つくっていきます。
あべ：わあ、たのしみ！ じゃあ、パクさんは かんこくの たべものですね。
パク：はい、それから のみものも。
あべ：あ、のみものも。はい、よろしく おねがいします。

こたえ 2 （つくって）（もって）

❸

こたえ 1 1 (b) 2 (b) 3 (a) 4 (a、b)

105-108 1

1
パク：あのう、のみものは なにが いいですか。
あべ：そうですね、わたしは おちゃが いいです。
やぎ：わたしも おちゃが いいです。
パク：じゃあ、おちゃに します。
やぎ：はい、おねがいします。

2
カーラ：くだものは なにが いいですか。
あべ　：そうですね。わたしは バナナが いいです。
パク　：わたしは なんでも いいですよ。
カーラ：じゃあ、バナナに しますね。
あべ　：はい、おねがいします。

3
あべ　：あ、ケーキは チョコレートと りんご、どっちが いいですか。
カーラ：わたしは チョコレートの ケーキが いいです。
パク　：ううん、わたしは どっちでも いいですよ。
あべ　：じゃ、チョコレートの ケーキに しますね。
カーラ：はい。たのしみです！

4
カーラ：あのう、ワインは あかと しろ、どっちが いいですか。
パク　：わたしは あかが いいです。
あべ　：ううん、わたしは しろ。
カーラ：じゃあ、あかと しろに します。
パク　：だいじょうぶですか。
カーラ：ええ、うちに あかも しろも ありますから。
パク　：じゃあ、おねがいします！

こたえ 2 （なに）（と）（どっち）

## ◆ トピック6　そとで 食べる

### だい 12 か　おいしそうですね　p96

❶

109 1

（1）どんな あじですか。
あまい。この ケーキは あまいです。
からい。この キムチは からいです。
すっぱい。この うめぼしは すっぱいです。
しょっぱい。この つけものは しょっぱいです。

110 2

（2）なにが はいっていますか。
おにぎりに しゃけが はいっています。
うめぼしが はいっています。
サンドイッチに ハムと チーズが はいっています。
トマトと きゅうりと えびが はいっています。

❷

こたえ 1
1 (b)（×） 2 (a)（○） 3 (d)（×） 4 (c)（×）

111-114 1

1
あべ：わあ、おいしそうですね！ それ、なんですか。
パク：これは かんこくの キンパです。
あべ：かんこくの？ へえ、にほんの おすしと にてますね。
パク：はい。でも、あじは ちょっと ちがいますよ。どうぞ、たべてみて ください。
あべ：じゃあ、ひとつ いただきます。

2
あべ：それ、なんですか。
ヤン：これ？ これは マレーシアの クロッポです。えびの おかしですよ。
あべ：ふうん、えびの おかしですか。にほんの えびせんべいと にてますね。おいしそう！
ヤン：あじも よく にていますよ。どうぞ、たべてみて ください。
あべ：じゃあ、ひとつ いただきます。

3
カーラ：それ、ピクルスですか。ちょっと すっぱそうですね。
やぎ　：すっぱくないですよ。これ、つけものです。
カーラ：ふうん、つけものですか。ピクルスと にてますね。
やぎ　：ええ。でも、あじは ちょっと ちがいますよ。どうぞ、たべてみて ください。
カーラ：じゃあ、ひとつ…。

4
やぎ　　：それ、なんですか。
カルメン：メキシコの スープです。
やぎ　　：メキシコの？ へえ、カレーと にてますね。ちょっと からそう。
カルメン：あ、あじは ぜんぜん ちがいますよ。どうぞ、たべて みて ください。
やぎ　　：じゃあ、ちょっと いただきます。

こたえ 2 （あまそう）（すっぱそう）

❸

こたえ 1
1 (a)（○） 2 (c)（○） 3 (b)（×） 4 (a)（×）

115-118 1

1
あべ：ヤンさん、よかったら ケーキ、どうぞ。
ヤン：はい。…あ、おいしい。この ケーキ、あまくて、おいしいですね。
あべ：そうですか。もう すこし どうですか。
ヤン：じゃあ、いただきます。

2
カルメン：やぎさん、よかったら サラダ、どうぞ。
やぎ　：はい、いただきます。…この サラダ、ちょっと すっぱくて、おいしいですね。
カルメン：そうですか。どうも ありがとう。もう すこし どうですか。
やぎ　：じゃあ、もうすこし。…トマトも えびも おいしいです。

3
パク　：カーラさん、キムチ、よかったら どうぞ。
カーラ：はい、いただきます。…あ、これ、からくて、おいしいですね。
パク　：そうですか。もう すこし どうぞ。
カーラ：ありがとうございます。でも、もう おなかが いっぱいです。
パク　：だいじょうぶですよ。もう すこし。
カーラ：いえ、ほんとに もう おなかが いっぱいです。
パク　：そうですか。

4
カーラ：あべさん、ワイン、どうですか。
あべ　：じゃあ、おねがいします。…ああ、この ワイン、ちょっと あまくて、おいしいですね。
カーラ：そうですか。よかった。もう いっぱい どうですか。
あべ　：もう、けっこうです。ありがとうございます。

こたえ 2 （からくて）（あまくて）

119 3 101ページ「よく 聞きましょう」と おなじ。

## ◆ トピック7　しゅっちょう

### だい 13 か　たなかさんに 会ったことが あります　p104

❶

120

しゅっちょうの ひとが きます
1 しゅっちょうが あります／しゅっちょうします
2 ほんしゃから きます
3 ししゃに きます
4 メールを もらいます
5 9（く） じの フライトで きます
／9（く） じの びんで きます
6 しゅっぱつ、しゅっぱつします
7 とうちゃく、とうちゃくします

❷

こたえ 1
（1）1（○） 2（○） 3（×） 4（×）
（2）12 にち（たなかさん） 16 にち（さいとうさん）
22 にち（いしかわさん） 28 にち（なかむらさん）

121-124 1

1
A　　：タイラーさん、とうきょうほんしゃの たなかさん、しってますか。
タイラー：ああ、たなかさんですか。はい、あったこと、ありますよ、こっちで。
A　　：あ、そうですか。たなかさんが 12（じゅうに） にちに きますよ。くうこうに むかえに いって ください。よる 9（く） じの フライトです。
タイラー：はい、わかりました。12（じゅうに） にちの よる 9（く） じの フライトですね。

2
A　　：タイラーさん、とうきょうほんしゃの なかむらさん、しってますか。
タイラー：ああ、なかむらさんですか。はい、にほんで あったこと、あります。
A　　：そうですか。なかむらさんが 28（にじゅうはち） にちに きますよ。タイラーさん、くうこうに むかえに いって ください。ひる 3（さん） じの フライトです。
タイラー：わかりました。28（にじゅうはち） にち、ひる 3（さん） じですね。

3
A　　：タイラーさん、シドニーししゃの いしかわさん、しってますか。
タイラー：いしかわさん？ ううん、あったこと、ありません。でも、でんわで はなしたことが あります。
A　　：そうですか。いしかわさんが 22（にじゅうに） にちに こっちに きます。くうこうに むかえに いって ください。よる 9（く） じの びんです。
タイラー：はい、わかりました。22（にじゅうに） にちの よる 9（く） じの びんですね。

4
A　　：タイラーさん、ローマししゃの さいとうさん、しってますか。
タイラー：ローマの さいとうさん？あったこと、ありません。あ、でも、メールを もらったことが あります。
A　　：そうですか。さいとうさんが 16（じゅうろく） にちに きます。タイラーさん、くうこうに むかえに いって ください。ひる 3（さん） じの びんです。
タイラー：わかりました。16（じゅうろく） にち、ひる 3（さん） じですね。

こたえ 2 （いったこと）（はなしたこと）

❸

こたえ 1　1 (a)　2 (b)　3 (d)　4 (c)

125-128 1

1
タイラー：ようこそ、いしかわさん。おつかれさまでした。
いしかわ：おまたせしました。でむかえ、ありがとうございます。いしかわです。
タイラー：フライトは いかがでしたか。
いしかわ：かいてきでしたよ。すいてましたから。
タイラー：そうですか。よかったですね。

2
タイラー：おつかれさまでした。ようこそ、さいとうさん。
さいとう：おまたせしました。でむかえ、ありがとうございます。さいとうです。
タイラー：フライトは いかがでしたか。
さいとう：ながかったです。でも、あたらしい えいが、3（さん）ぼん みました。
タイラー：あ、そうですか、えいが 3（さん）ぼんも。

3
タイラー：あ、たなかさん。こっちです、こっち。
たなか　：あ、タイラーさん。でむかえ、ありがとうございます。
タイラー：フライト、いかがでしたか。
たなか　：よく ねました。ずっと ねてきました。
タイラー：それは よかった。じゃあ、じさは だいじょうぶですね。

4
タイラー：あ、なかむらさん。こっちです、こっち。
なかむら：でむかえ、ありがとうございます。タイラーさん。
タイラー：フライト、どうでしたか。
なかむら：まあまあでした。ちょっと つかれました。
タイラー：とおいですからね。おつかれさまでした。

❹

こたえ 1　1 (d)　2 (a)　3 (b)　4 (c)

129-132 1

1
タイラー：ええと、へやばんごうは 302（さんぜろに）ですね。
たなか　：あ、はい。302（さんぜろに）です。ここです。
タイラー：ちょっと、かぎ。チェックしますよ。かぎ、もんだいないですね。だいじょうぶです。
たなか　：そうですか。

2
タイラー：そして、でんき、チェックします。でんきは…、あ、つきますね。だいじょうぶ、OK（オーケー）！
たなか　：そうですか。

3
タイラー：シャワーは どうですか。チェックします。シャワーの おゆは…、でます、でます。だいじょうぶです。OK（オーケー）！
たなか　：そうですか。よかった。

4
タイラー：でんわも チェックしますよ。でんわ…、だいじょうぶ。もんだいなし。
たなか　：そうですか。ありがとう。
タイラー：じゃあ、これ、スケジュールです。あした、あさ 9（く）じはんに むかえに きます。よく おやすみください。
たなか　：いろいろ ありがとうございました。じゃあ、また あした。

こたえ 3
(1)（あさ）9：30　(2) 13 にち　14 か（じゅうよっか）
(3)（3 がつ）15 にち

## ◆ トピック7　しゅっちょう

### だい 14 か　これ、つかっても いいですか　p110

❶

133

オフィスに どんな ひとが いますか。なにが ありますか。
1　しゃちょうです
2　ひしょです
3　ドライバーです
4　うけつけです
5　じむの スタッフです
6　コンピューター、パソコン
7　ファックス
8　コピーき
9　コンピューターを かります
10　ファックスを つかいます
11　コピーします
12　プリントアウトします
13　こくさいでんわを します / こくさいでんわします

❷

こたえ 1

| | 1 | 2 | 3 | 4 |
|---|---|---|---|---|
| (1) | a | b | e | d |
| (2) | ○ | ○ | ○ | × |

134-137 1

1
タイラー：たなかさん、こちらは ひしょの キャシーさんです。
たなか　：たなかです。どうぞよろしく。
キャシー：こちらこそ、どうぞよろしく。
タイラー：キャシーさんは にほんご、ぺらぺらですよ。
たなか　：そうですか。すごいですね。

2
タイラー　：たなかさん、こちらは エドワードさん、じむの スタッフです。
たなか　　：たなかです。はじめまして。
エドワード：わたし、たなかさんに あったこと、ありますよ。
タイラー　：エドワードさんは とうきょうの ほんしゃに いったことが あるんです。

たなか　：そうですか。すみません。どうぞよろしく。

3
タイラー　：たなかさん、こちらは うけつけの ナターリヤさんです。
たなか　：たなかです。よろしく。
ナターリヤ：こんにちは。
タイラー　：ナターリヤさんは にほんご、すこし できます。いま べんきょうちゅうです。
たなか　：そうですか。

4
タイラー：たなかさん、こちらは ハリードさん、ドライバーです。きのう あいましたよね。
たなか　：あ、そうでしたね。
タイラー：ハリードさんは にほんごは できません。でも、えいごが できますよ。
ハリード：Hello!
たなか　：Nice to meet you.

❸

こたえ 1

| | 1 | 2 | 3 | 4 |
|---|---|---|---|---|
| (1) | a | d | b | c |
| (2) | ○ | ○ | × | ○ |

138-141 1

1
たなか：すみません、コンピューター、かりても いいですか。
A　　：はい、どうぞ。
たなか：プリントアウトしたいんです。
A　　：そうですか。じゃあ、これ、つかって ください。
たなか：あ、すみません。

2
たなか：すみません、この でんわ、つかっても いいですか。
A　　：ええ、どうぞ。
たなか：あのう、にほんに こくさいでんわ、しても いいですか。
A　　：にほんですか。いいですよ、どうぞ。

3
たなか：あのう、ファックス、つかっても いいですか。
A　　：ファックスですか。すみません。いま、こわれてます。
たなか：そうですか。じゃあ、いいです。

4
たなか：あのう、これ、コピーしても いいですか。
A　　：いいですよ。わたしが しましょうか。
たなか：だいじょうぶです。じぶんで します。
A　　：そうですか。コピーきは あそこです。
たなか：はい。ありがとうございます。

こたえ 2 （こくさいでんわしても）（かりても）

## ◆ トピック8　けんこう

### だい 15 か　たいそうすると いいですよ　p116

❶

142

かおと からだ
1 あたま 2 め 3 はな 4 は 5 くび 6 くち 7 みみ 8 かた 9 むね 10 おなか 11 て 12 あし 13 うで 14 こし 15 せなか

どうしたんですか
1 おなかが いたいです 2 ねられません 3 つかれています

❷

こたえ 1　1 (d)　2 (a)　3 (b)　4 (c)

143-146 1

1
A　：まりさん、どうしたんですか。
まり：ちょっと くびが いたいんです。
A　：だいじょうぶですか。
まり：はい。

2
A　：キムさん、どうしたんですか。
キム：ちょっと あたまが いたいんです。
A　：あたまが いたい…。だいじょうぶですか。
キム：はい、だいじょうぶです。

3
A　：のださん、どうしたんですか。
のだ：さいきん、かたが いたいんです。
A　：かたが いたい…。だいじょうぶですか。
のだ：はい、ありがとうございます。

4
A　　：たなかさん、どうしたんですか。
たなか：さいきん、ちょっと こしが いたいんです。
A　　：えっ、こし…ですか。だいじょうぶですか。やすんで くださいね。
たなか：はい、ありがとうございます。

❸

こたえ 1　1 (b)　2 (a)　3 (c)　4 (d)

147-150 1

1
A：じゃあ、ちょっと たいそうしましょう。
B：おねがいします。
A：まず こうやって かたを ゆっくり まわして ください。
B：かたを まわす…。
A：どうですか。
B：あ、いたい。
A：あ、きゅうに まわさないで ください。ゆっくり、ゆっくり…。

2
A：つぎに うでを たかく あげます。
B：うでを たかく…ですか。
A：はい、あたまの うえに たかく、たかく…。
B：たかく、たかく、う、いたい。
A：だいじょうぶですか。むりを しないで くださいね。
B：はい。

3
A：つぎは くびです。こうやって くびを みぎに まげます。
B：くびを みぎに…。
A：あ、きゅうに まげないで ください。 ゆっくり みぎに まげて、1、2、3（いち、に、さん）…。
はい、こんどは ひだり。
B：ひだり、1、2、3（いち、に、さん）…。
A：どうですか。
B：ううん、きもちが いいです。

4
A：さいごに しんこきゅうです。おおきく いきを すいます。
B：いきを おおきく…。
A：はきます…。
もう いちど、おおきく ゆっくり すって、はいて、すって、はいて…はい、さいごに もう いちど おおきく すって、はいて、はい、おわりです。
B：ああ、きもち いい。ありがとうございました。

こたえ 2 まわさないで　しないで　まげないで

❹

こたえ 1

| 1 | 2 | 3 | 4 |
|---|---|---|---|
| a | b | b | c |
| ア | ウ | エ | イ |

151-154 1

1
A　：まりさん、どうしたんですか。
まり：ちょっと おなかが いたいんです。
A　：それは よくないですね。だいじょうぶですか。
まり：ええ…。
A　：この くすり、のみますか。しょくじの まえに、のむと いいですよ。
まり：そうですか。ありがとうございます。

2
A　：キムさん、どうしたんですか。
キム：さいきん、よく ねられないんです。
A　：それは たいへんですね。だいじょうぶですか。
キム：はい…。
A　：ねる まえに、ぎゅうにゅうを のむと いいですよ。
キム：ぎゅうにゅう…そうですか。やってみます。

3
A　：のださん、どうしたんですか。
のだ：さいきん、よく ねられないんです。ストレスですね。
A　：わたしもです。ねる まえに、しずかな おんがくを きくと いいですよ。
のだ：しずかな おんがくですか。やってみます。

4
A　　：たなかさん、どうしたんですか。
たなか：さいきん、ちょっと つかれてるんです。しごとが いそがしくて…。
A　　：そうですか。たいへんですね。だいじょうぶですか。
たなか：はい、だいじょうぶです。
A　　：ねる まえに、ゆっくり おふろに はいると いいですよ。
たなか：そうですね。おふろ、いいですね。

こたえ 2
（1）（ねる）（たべる）
（2）（はいる）（たいそうする）

## ◆ トピック8　けんこう

### だい16か　はしったり、およいだり しています　p122

❶

155

a ジョギングを します／はしります
b すいえいを します／およぎます
c たいそうを します
d ウォーキングを します／あるきます
e エアロビクスを します
f トレーニングを します
g ヨガを します
h よく ねます
i あさごはんを たべます
j やさいを たべます
k おんがくを ききます
l おさけを のみます
m おさけを のみません
n たばこを すいません

❷

こたえ 1

| | 1 | 2 | 3 | 4 |
|---|---|---|---|---|
| （1）なにを | g | b | d | h |
| （2）どのぐらい？ | 20ぷん | 2かい | 5キロ | 8じかん |

156-159 1

1
A：けんこうの ために なにか してますか。
B：そうですね。わたしは まいあさ ヨガを しています。
A：へえ、ヨガですか。まいあさ、どのぐらい してますか。
B：まいあさ 20（にじゅっ）ぷんぐらいですよ。
A：そうですか。

2
A：ほかには？
B：プールで およいでいます。すいえいは からだに いいですよ。

A：すいえいですか。しゅうに なんかいぐらい？
B：しゅうに 2（に） かいぐらいです。
A：ふうん、すごいですね。

3
A：ジョギングは しますか。
B：ジョギングは しませんが、ウォーキングは しますよ、しゅうまつだけ。
A：ウォーキング？そうですか。しゅうまつに どのぐらい？
B：5（ご） キロぐらいです。
A：へえ、いいですね。

4
A：まいにち なんじかんぐらい ねてますか。
B：まいにち 8（はち） じかん ねてます。
A：8（はち） じかんですか。けんこうに いいですね。
B：そうですね。

こたえ 2

| | 1 | 2 | 3 | 4 |
|---|---|---|---|---|
| なにを？ | a | g | a | l |
| | c | f | b | k |

160-163 2

1
A　　：ジョイさんは けんこうの ために なにか してますか。
ジョイ：わたしは しゅうまつ こうえんで ジョギングしたり、たいそうしたり してますよ。
A　　：へえ、ジョギングと たいそうですか。
ジョイ：はい。2（に） じかんぐらい しています。
A　　：そうですか。

2
A　：シンさん、なにか けんこうの ために してますか。
シン：そうですね。いえで ヨガを したり、ジムで トレーニングしたり してます。
A　：ヨガと トレーニングですか。へえ、すごいですね。

3
A　　：よしださんは ジムに いってますか。
よしだ：はい、まいにち ちかくの ジムで はしったり、およいだり してます。
A　　：わあ、まいにち はしったり およいだり ですか。すごいですね。

4
A　　：たなかさんは まいにち げんきですね。なにか けんこうの ために してますか。
たなか：え？ なにも してませんけど…。でも、ときどき おさけを のんだり、おんがくを きいたり してます。
リラックスできますから。
A　　：ふうん、おさけと おんがくですか。

こたえ 3
（およいだり）（トレーニングしたり） （のんだり）（たべたり）

❸

こたえ 2 （3） （7） （5）

164 2

Aグループの こたえを いいます。
スポーツを よく する ひとは 3（さん） にんです。
ときどき する ひとは 7（しち） にんです。
しない ひとは 5（ご） にんです。

こたえ 3 （たべる）（すわない）

## ◆ トピック9　おいわい

### だい 17 か　たんじょう日に もらったんです　p128

❶

165

（1） どんな とき、プレゼントを あげますか。
おいわい
a たんじょうび：たんじょうびは なんがつなんにちですか。
b にゅうがく：しょうがっこうに にゅうがくします。
c そつぎょう：ちゅうがっこうを そつぎょうします。
d しゅうしょく：かいしゃに しゅうしょくします。
e けっこん：けっこんします。
f しゅっさん：あかちゃんが うまれます。
g ははの ひ
h ちちの ひ
i クリスマス
j バレンタイン・デー

166

（2） どんな ものを あげますか。
k ネックレスを あげます。
l ネクタイを あげます。
m セーターを あげます。
n シャツを もらいました。やすみの ひに きます。
o えを あげます。
p はなを あげます。
q とけいを もらいました。へやに かざります。
r ペンを あげます。
s かばんを もらいました。しごとで つかいます。
t にんぎょうを あげます。
u おもちゃを もらいました。あかちゃんが あそびます。
v コーヒーカップを あげます。
w たべものを あげます。

❷

こたえ 1

| | 1 | 2 | 3 | 4 |
|---|---|---|---|---|
| （1） なに | k | q | s | m |
| （2） いつ | a | c | d | |
| どう | ア | ア | ウ | イ |

167-170 1

1
A　：その ネックレス、すてきですね。
あべ：たんじょうびに かれに もらったんです。
A　：たんじょうびの プレゼントですか。やさしい かれですね。よく にあってますよ。
あべ：ありがとうございます。

2
A　：それ、かっこいい とけいですね。
パク：この とけいですか。だいがくの そつぎょうの おいわいに ちちに もらったんです。
A　：へえ、そつぎょういわいですか。いい おとうさんですね。
パク：はい。

3
A　：あ、その かばん、いいですね。
シン：これですか、いいでしょう。10（じゅう）ねんまえ、しゅうしょくの とき かったんです。
A　：ああ、しゅうしょくの とき。いろも いいですね。
シン：ええ、とても きに いってます。

4
A　：まあ、かわいい セーターですね。
やまだ：あっ、ありがとうございます。これ、じぶんで つくったんですよ。
A　：じぶんで つくったんですか、その セーター。じょうずですね。
やまだ：ふふふ、あみもの、すきなんです。

こたえ 2 （もらった）（つくった）

❸

こたえ 1

| 1 | 2 | 3 | 4 |
|---|---|---|---|
| a | d | c | b |

171-174 1

1
A　：キムさんの くにでは けっこんの おいわいに なにを あげますか。
キム：そうですね。たぶん へやに かざる ものが おおいですよ。
A　：へやに かざるもの？
キム：ええ。たとえば、えとか、とけいとか、よく あげます。
A　：へえ、そうですか。

2
A　：ジョイさんの くにでは しゅっさんの おいわい、なにを あげますか。
ジョイ：あかちゃんの もの。きる ものや あそぶ ものが おおいですよ。
A　：あそぶ ものですか。
ジョイ：ええ、たとえば おもちゃとか にんぎょうです。
A　：ああ、わたしの くにと おなじです。

3
A　：日本では しゅうしょくの おいわい、どんな ものを あげますか。
よしだ：しゅうしょくの ときですか。そうですね、しごとで つかう ものが おおいです。
A　：しごとで つかう ものですか。たとえば？
よしだ：たとえば とけいとか ペンです。わたしも とけいを もらいました。
A　：とけいや ペン。そうですか。いいですね。

4
A　：すずきさん、ちちの ひに なにか プレゼントを あげますか。
すずき：ええ、あげますよ。わたしは ネクタイとか きる ものを よく あげます。
A　：きる もの？ たとえば、どんな ものですか？
すずき：たとえば、シャツとか セーターとか。わたしは シャツを あげたことが ありますよ。
A　：ネクタイ、シャツ。そうですか。

こたえ 2 （きる）（あそぶ）

## ◆ トピック9　おいわい

### だい 18 か　パーティーが いいと おもいます　p134

❶

175

(1) どんな とき、おいわいを しますか。
a　しゅうしょくします。しゅうしょくの おいわいを します。
b　ひっこしします。ひっこしの おいわいを します。
c　けっこんします。けっこんの おいわいを します。
d　しゅっさんします。しゅっさんの おいわいを します。

176

(2) おいわいに どんな ことを しますか。
e　プレゼントを あげます。
f　パーティーを します。
g　レストランで しょくじを します。
h　カードを かきます。

177

(3) どうしてですか。
i　よろこびますから
j　たのしいですから
k　すきですから
l　ひつようですから

❷

こたえ 1

| | 1 | 2 | 3 | 4 |
|---|---|---|---|---|
| (1) | c | b | a | d |
| (2) | f | e | g | e |

178-181 1

1
A：らいげつ、あべさんが けっこんしますね。けっこんの おいわい、どうしますか。

B：そうですね。わたしは パーティーが いいと おもいます。
A：パーティーですか、いいですね。あべさん、きっと よろこぶと おもいます。
B：じゃ、あべさんに パーティーの こと、はなしますね。

2
A：カーラさんの ひっこしの おいわい、どうしますか。
B：そうですね、へやに かざる ものが いいと おもいます。
A：いいですね。かわいい えが いいと おもいます。カーラさん、かわいい ものが すきだと いってましたから。
B：じゃあ、らいしゅう いっしょに デパートに かいに いきましょう。

3
A：パクさんの しゅうしょくの おいわい、どうしますか。
B：ああ、パクさん、にほんの かいしゃに しゅうしょくしたと いってましたね。
じゃあ、レストランで いっしょに しょくじを しませんか。
A：レストランで しょくじ、いいですね。たのしいと おもいます。
B：じゃあ、そうしましょう。

4
A：クリスティーナさんの しゅっさんの おいわい、どうしますか。
B：プレゼントが いいと おもいます。
A：そうですね。クリスティーナさん、あかちゃんの もの、たくさん ひつようだと いってました。
B：あかちゃんの もの。じゃ、きる ものや おもちゃは どうですか。
A：いいですね。クリスティーナさん、きっと よろこぶと おもいます。

こたえ 2
（1）（パーティーは たのしい）
（あかちゃんの ものが ひつようだ）
（2）（みんなと はなしたい）（パーティーが すきじゃない）

❹

こたえ 1

| 1 | 2 | 3 |
|---|---|---|
| a | c | b |

182-184 1

1
カーラ：あべさん、これ、けっこんの おいわいです。シンさんと わたしからです。どうぞ。
あべ　：わあ、すみません、カーラさん。どうも ありがとうございます。あけても いいですか。
カーラ：はい、どうぞ。
あべ　：わあ、すてきな コーヒーカップ！たいせつに します。

2
A　：あべさん、これ、スタッフからです。どうぞ。
あべ：スタッフの みなさんから？ どうも ありがとうございます。あけても いいですか。
A　：はい、どうぞ。
あべ：わあ、きれいな えですね。ありがとうございます。うれしいです。

3
A　：これ、クラスの みんなから、おいわいです。どうぞ。
あべ：わあ、すみません。クラスの みんなから？ どうも ありがとうございます。あけても いいですか。
A　：ええ、もちろん。
あべ：わあ、すてき。どうも ありがとうございます。これからも よろしく おねがいします。

## Can-do チェック 『まるごと　日本のことばと文化』初級 1 A2 <かつどう>

| トピック | か | タイトル | No | Can-do（話す、やりとり：42　読む：7　書く：4） |
|---|---|---|---|---|
| **1 わたしと かぞく** **My family and myself** | 1 | **東京に すんでいます** We live in Tokyo | 1 | かぞくや じぶんが どこに すんでいるか、なにを しているか かんたんに 話します |
| | | | 2 | かぞくや ともだちと なにごで 話すか 言います |
| | 2 | **しゅみは クラシックを 聞くことです** My hobby is listening to classical music | 3 | しゅみについて 話します |
| | | | 4 | じこしょうかいの サイトの みじかい コメントを 読みます |
| | | | 5 | じこしょうかいの サイトに みじかい コメントを 書きます |
| **2 きせつと てんき** **Seasons and weather** | 3 | **日本は いま、はるです** It's spring now in Japan | 6 | きせつの へんかについて かんたんに 話します |
| | | | 7 | すきな きせつと その りゆうを かんたんに 話します |
| | 4 | **いい てんきですね** It's a nice day, isn't it? | 8 | てんきについて 話して あいさつを します |
| | | | 9 | でんわの かいわの はじめに てんきについて 話します |
| **3 わたしの まち** **My town** | 5 | **この こうえんは ひろくて、きれいです** This park is big and beautiful | 10 | ちずを 見ながら、じぶんの まちの おすすめの ばしょ／ちいきについて ともだちに 言います。 |
| | | | 11 | ちずを 見ながら、ともだちが きょうみを もっている ところが どんな ところか、きを つける ことは なにか、言います。 |
| | 6 | **まっすぐ 行って ください** Please go straight | 12 | ちかくの ばしょへの 行きかたを 言います |
| | | | 13 | あいてが 聞きまちがえた ことを なおします |
| | | | 14 | とおくに 見える たてものの とくちょうを 言います |
| **4 でかける** **Going out** | 7 | **10 時でも いいですか** Is ten o'clock OK? | 15 | ともだちと まちあわせの じかんと ばしょについて 話します |
| | | | 16 | まちあわせに おくれると いう Eメールを 読みます |
| | | | 17 | おくれた りゆうを 言って あやまります |
| | 8 | **もう やけいを 見に 行きましたか** Have you been to see the night view yet? | 18 | おすすめの ばしょに ともだちを さそいます／さそいに こたえます |
| | | | 19 | ともだちに よりみちを したいと 言います |
| **5 がいこくごと がいこくぶんか** **Languages and cultures of other countries** | 9 | **日本語は はつおんが かんたんです** Japanese is easy to pronounce | 20 | いつ、なにごを べんきょうしたか 話します |
| | | | 21 | いままでに べんきょうした がいこくごについて 話します |
| | | | 22 | いつ、なにごを べんきょうしたか きろくを 書きます |
| | | | 23 | がいこくごや がいこくごの べんきょうについて こまったとき、だれかに たのみます／たのまれて こたえます |
| | 10 | **いつか 日本に 行きたいです** I'd like to go to Japan some day | 24 | がいこくの ぶんかと じぶんとの かかわりについて 話します |
| | | | 25 | こまっている ひとに たすけを もうしでます／もうしでを うけます |
| | | | 26 | イベントの プログラムを 読みます |

★☆☆：しました　I did it, but could do it better.　★★☆：できました　I did it.　★★★：よくできました　I did it well.

# Can-do Check

"*Marugoto* : Japanese Language and Culture" Elementary 1 A2
<Coursebook for Communicative Language Activities>

| | No | ひょうか | コメント　（年／月／日） |
|---|---|---|---|
| Talk briefly about where you/your family live and what you/they do | 1 | ☆☆☆ | (　/　/　) |
| Say what language you speak with your family and friends | 2 | ☆☆☆ | |
| Talk about your hobbies | 3 | ☆☆☆ | (　/　/　) |
| Read short, simple comments about someone's self-introduction on a website | 4 | ☆☆☆ | |
| Write short, simple comments about someone's self-introduction on a website | 5 | ☆☆☆ | |
| Talk about the change of seasons | 6 | ☆☆☆ | (　/　/　) |
| Say what season you like and why | 7 | ☆☆☆ | |
| Greet people by talking about the weather | 8 | ☆☆☆ | (　/　/　) |
| Start a conversation over the phone by talking about the weather | 9 | ☆☆☆ | |
| Tell a friend about a place/area of your recommendation, using a map of your town | 10 | ☆☆☆ | (　/　/　) |
| Tell a friend what a place that he/she is interested in is like and what to be careful about, using a map | 11 | ☆☆☆ | |
| Tell someone how to get to a place nearby | 12 | ☆☆☆ | (　/　/　) |
| Correct some information misunderstood by someone | 13 | ☆☆☆ | |
| Describe the features of buildings seen in the distance | 14 | ☆☆☆ | |
| Talk with a friend about the time and place you will meet | 15 | ☆☆☆ | (　/　/　) |
| Read an E-mail from a friend saying he/she will be late | 16 | ☆☆☆ | |
| Apologise for being late and give a reason | 17 | ☆☆☆ | |
| Invite a friend to visit a place of your recommendation / Respond to an invitation | 18 | ☆☆☆ | (　/　/　) |
| Say that you would like to drop by somewhere | 19 | ☆☆☆ | |
| Say what languages you have studied and when | 20 | ☆☆☆ | (　/　/　) |
| Talk about foreign languages you have studied | 21 | ☆☆☆ | |
| Write down what languages you have studied and when | 22 | ☆☆☆ | |
| Ask someone for help to understand or to learn a foreign language / Respond to a request for help | 23 | ☆☆☆ | |
| Talk about your involvement in the culture of another country | 24 | ☆☆☆ | (　/　/　) |
| Offer help to someone with a problem / Accept an offer of help | 25 | ☆☆☆ | |
| Read the program of an event | 26 | ☆☆☆ | |

| トピック | か | タイトル | No | Can-do（話す、やりとり：42　読む：7　書く：4） |
|---|---|---|---|---|
| **6**<br>**そとで 食べる**<br>**Eating outdoors** | 11 | **なにを もっていきますか**<br>What are you going to take to the picnic? | 27 | ピクニックに もっていく ものについて 話します |
| | | | 28 | ピクニックに だれが なにを もっていくか メモを 書きます |
| | | | 29 | ピクニックの 食べものや 飲みものの きぼうを ぐたいてきに 聞きます／言います |
| | 12 | **おいしそうですね**<br>It looks delicious | 30 | よく しらない 食べものについて 話します |
| | | | 31 | あじについて かんたんに コメントします |
| | | | 32 | ともだちに 食べものを すすめます／すすめに こたえます |
| **7**<br>**しゅっちょう**<br>**Business trips** | 13 | **たなかさんに 会ったことが あります**<br>I have met Mr. Tanaka before | 33 | でむかえの ために、しゅっちょうで 来る ひとや 来る 日について 話します |
| | | | 34 | でむかえの あいさつを します |
| | | | 35 | ホテルの へやを チェックして、だいじょうぶか 言います |
| | | | 36 | しゅっちょうの スケジュールを 読みます |
| | 14 | **これ、つかっても いいですか**<br>May I use this? | 37 | かいしゃの スタッフを しょうかいします |
| | | | 38 | オフィスの ものを つかっても いいか 聞きます |
| | | | 39 | みおくりの あいさつを します |
| | | | 40 | かいがいしゅっちょうから かえる ときに もらった、オフィスの ひとからの メッセージを 読みます |
| **8**<br>**けんこう**<br>**Staying healthy** | 15 | **たいそうすると いいですよ**<br>How about doing some exercise? | 41 | ともだちに からだの ぐあいを 聞きます／こたえます |
| | | | 42 | かんたんな たいそうの しかたを 聞きます／言います |
| | | | 43 | からだに いいことを すすめます |
| | 16 | **はしったり、およいだり しています**<br>I go running and swimming | 44 | けんこうの ために している ことを かんたんに 話します |
| | | | 45 | けんこうについての かんたんな アンケートを 読んで こたえます |
| | | | 46 | アンケートの けっかを かんたんな ことばで はっぴょうします |
| **9**<br>**おいわい**<br>**Celebrations** | 17 | **たんじょう日に もらったんです**<br>I got this for my birthday | 47 | ともだちの もちものを ほめます |
| | | | 48 | じぶんの もちものについて、いつ、だれに もらったかなどを かんたんに 話します |
| | | | 49 | じぶんの くにの プレゼントの しゅうかんについて かんたんに 話します |
| | 18 | **パーティーが いいと おもいます**<br>I think a party is a good idea | 50 | ともだちの おいわいを なんに するか 話します |
| | | | 51 | けっこんの おいわいの カードを 読みます |
| | | | 52 | けっこんの おいわいの カードを 書きます |
| | | | 53 | プレゼントを もらって おれいを 言います |

★☆☆：しました　I did it, but could do it better.　★★☆：できました　I did it.　★★★：よくできました　I did it well.

| | No | ひょうか | コメント (年 / 月 / 日) |
|---|---|---|---|
| Discuss what to take for a picnic | 27 | ☆☆☆ | ( / / ) |
| Write a memo to say who is taking what for a picnic | 28 | ☆☆☆ | |
| Ask/Say what specific food or drinks your friend/you would prefer for a picnic | 29 | ☆☆☆ | |
| Talk about food you don't know much about | 30 | ☆☆☆ | ( / / ) |
| Comment briefly on the taste of food | 31 | ☆☆☆ | |
| Offer a dish to your friends / Respond to an offer | 32 | ☆☆☆ | |
| Talk about someone visiting your office on a business trip and the date of his/her visit | 33 | ☆☆☆ | ( / / ) |
| Greet a visitor arriving at the airport | 34 | ☆☆☆ | |
| Check the hotel room and tell your visitor if it is OK | 35 | ☆☆☆ | |
| Read a business trip schedule | 36 | ☆☆☆ | |
| Introduce your colleagues to a visitor | 37 | ☆☆☆ | ( / / ) |
| Ask to use things in the office | 38 | ☆☆☆ | |
| See a visitor off at the airport with some parting phrases | 39 | ☆☆☆ | |
| Read a message from a colleague in the overseas office when you return home from a business trip | 40 | ☆☆☆ | |
| Ask a friend how he/she is feeling / Answer how you are feeling | 41 | ☆☆☆ | ( / / ) |
| Listen to/Say how to do some easy exercises | 42 | ☆☆☆ | |
| Suggest something good for the health | 43 | ☆☆☆ | |
| Talk briefly about what you usually do to stay healthy | 44 | ☆☆☆ | ( / / ) |
| Read and answer a simple questionnaire on health | 45 | ☆☆☆ | |
| Make a simple presentation about the results of a questionnaire | 46 | ☆☆☆ | |
| Compliment a friend on his/her things | 47 | ☆☆☆ | ( / / ) |
| Talk about your things, saying when and from whom you got them | 48 | ☆☆☆ | |
| Talk briefly about the custom of present-giving in your country | 49 | ☆☆☆ | |
| Discuss what to do for a friend's celebrations | 50 | ☆☆☆ | ( / / ) |
| Read a congratulatory message for a wedding | 51 | ☆☆☆ | |
| Write a congratulatory message for a wedding | 52 | ☆☆☆ | |
| Thank someone for a present you receive | 53 | ☆☆☆ | |

## 【協力】（五十音順・敬称略）

■ **株式会社 アフロ**
http://www.aflo.com/
〒104 - 0061　東京都中央区銀座6丁目16番9号 ビルネット館1-7階

■ **株式会社 懸樋プロダクション**
http://www.kakehipro.com/
〒106 - 0045　東京都港区麻布十番2-14-7 田辺ビル202

■ **株式会社 三修社**
〒150 - 0001　東京都渋谷区神宮前2-2-22 青山熊野神社ビルB1F

■ **株式会社 ブレイン**
〒150 - 0001　東京都渋谷区神宮前2-2-22 青山熊野神社ビルB1F

■ **総本山知恩院**
http://www.chion-in.or.jp/
〒605 - 8686　京都府京都市東山区林下町400

まるごと　日本のことばと文化　初級１　A2　かつどう

2014年6月20日　第1刷発行

編著者　独立行政法人国際交流基金（ジャパンファウンデーション）

執　筆　来嶋洋美　柴原智代　八田直美　今井寿枝　木谷直之

発行者　前田俊秀

発行所　株式会社三修社

〒150-0001　東京都渋谷区神宮前2-2-22

TEL　03-3405-4511　FAX　03-3405-4522

振替 00190-9-72758

http://www.sanshusha.co.jp

印刷製本　萩原印刷株式会社

　ISBN978-4-384-05754-6 C0081